어떻게 시작할까요?

똑똑한 글쓰기 질문 하나!
글쓰기 공부 왜 필요할까요?

자신의 생각을 표현하는 수단이자 모든 학습의 바탕이 되는 활동이 바로 글쓰기예요. 특히 배운 내용을 정리하고, 이해한 것을 글로 풀어내는 글쓰기 능력은 모든 과목 학습 성취에 큰 영향을 끼친답니다.

똑똑한 글쓰기 질문 둘!
계속되는 글쓰기 공부의 실패 원인은 무엇일까요?

글쓰기를 시작하는 순간부터 아이들은 무엇을 써야 할지, 어떻게 표현할지, 어떻게 고쳐야 자연스러울지 등 많은 고민을 하게 되고, 이를 힘들어한답니다. 이렇게 복잡하고 어려운 글쓰기 과정이 익숙해지지 않았을 때 "이것 한번 써 보렴." 하고 과제를 주면 돌아오는 대답은 "엄마, 글쓰기가 싫어요!"일 수밖에 없을 거예요. 그래서 『똑똑한 하루 글쓰기』는 아이들이 차츰 글쓰기에 익숙해지고 재미를 붙여 나갈 수 있도록 만들었답니다.

똑똑한 글쓰기 질문 셋!
글쓰기 공부 어떻게 시작해야 할까요?

쉽고 재미있는 『똑똑한 하루 글쓰기』로 시작해 보세요. 만화와 게임 형식의 문제로 글쓰기 개념을 익히고, 낱말 쓰기부터 한 편 쓰기까지 단계별로 글쓰기를 연습할 수 있어요. 그리고 고쳐쓰기를 통해 문법 실력을 키우고, 내 생각 쓰기로 마무리하며 창의적 글쓰기까지 연습할 수 있답니다. 하루하루 꾸준히 공부해서 한 권을 끝내면 글쓰기 실력과 함께 자신감도 쑥쑥 자랄 거예요.

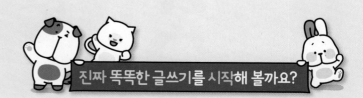

진짜 똑똑한 글쓰기를 시작해 볼까요?

똑똑한 하루 글쓰기로 똑똑해지자!

똑똑한 하루 글쓰기!
왜 똑똑한 하루 글쓰기일까요?

1 10분이면 하루 글쓰기 끝! 쉽고 재미있는 글쓰기 공부!

2 교과 학습 과정을 반영한 갈래별 글쓰기! 매주 다양한 갈래로 즐거운 학습!

3 단계별 글쓰기로 글쓰기 실력 향상! 낱말 쓰기부터 한 편 쓰기까지!

4 고쳐쓰기로 기초 실력 다지기! 어휘력과 문법 실력도 쑥쑥!

5 창의·융합·코딩으로 사고력 넓히기! 생활 어휘부터 코딩 학습까지!

구성과 활용 방법

주 도입

한 주 동안 공부할 내용을 만화로 미리 살펴보고, 한 주의
글쓰기 개념을 만화와 문제로 확인합니다.

똑똑한 하루 글쓰기 코스

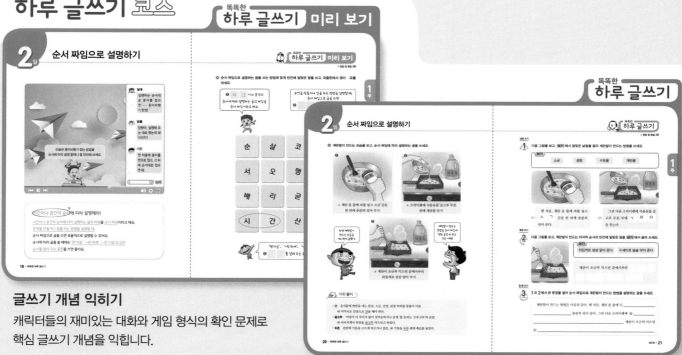

글쓰기 개념 익히기

캐릭터들의 재미있는 대화와 게임 형식의 확인 문제로
핵심 글쓰기 개념을 익힙니다.

단계별 글쓰기

다양한 글쓰기 상황을 살펴보고, '낱말 쓰기 → 문장 쓰기 → 한 편 쓰기'를
단계별로 학습하며 쉽고 재미있게 글쓰기를 연습합니다.

고쳐쓰기

'낱말 고쳐쓰기 → 문장 고쳐쓰기'를 통해 글쓰기의 기본인 어휘력을 높이고 문법과 맞춤법 실력을 다집니다.

내 생각 쓰기로 마무리

하루 학습 목표에 맞게 제시된 주제에 대한 내 생각 쓰기로 하루의 글쓰기 학습을 마무리합니다.

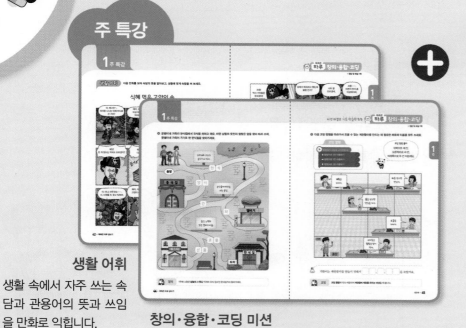

생활 어휘

생활 속에서 자주 쓰는 속담과 관용어의 뜻과 쓰임을 만화로 익힙니다.

창의·융합·코딩 미션

게임 형식의 창의·융합·코딩 미션을 해결하며 재미있게 한 주의 중요 어휘를 확인하고 다양한 배경지식을 넓힙니다.

누구나 100점 테스트

한 주 동안 공부한 내용을 평가하며 갈래별 글쓰기 실력을 확인합니다.

 # 친구들과 약속해요!

우리 같이 약속해요!

첫째, 하루하루 빠짐없이 꾸준히 공부하기!

둘째, 하루 글쓰기 문제 끝까지 다 풀기!

셋째, 또박또박 바르게 글씨 쓰기!

약속하는 사람 _____

쉽고 재미있는
『똑똑한 하루 글쓰기』로
첫 글쓰기 공부를 시작해 봐요.

똑똑한 하루 글쓰기

6단계 A

5~6학년

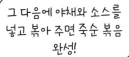

설명문을 써 보자!

1-1 다음 중 나열 짜임에 대한 설명으로 알맞은 것을 골라 ○표를 하세요.

(1) 시간이나 공간의 순서에 따라 설명하는 글의 짜임이다. (　　　)

(2) 하나의 주제에 대하여 몇 가지 특징을 늘어놓는 글의 짜임이다. (　　　)

(3) 두 가지 이상의 대상에서 공통점과 차이점을 찾아 설명하는 글의 짜임이다.

(　　　)

1-2 다음 글은 어떤 짜임으로 대상을 설명한 것인지 알맞은 것을 골라 따라 쓰세요.

조상의 슬기가 담긴 한옥의 특징을 알아보자.

첫째, 한옥은 자연의 재료로 만든 집이다. 조상들은 집을 짓는 재료로 나무, 흙, 돌 등을 사용하였다.

둘째, 사계절을 날 수 있도록 추위와 더위를 대비하여 지었다. 따뜻한 온돌과 무더위를 피하기 위한 마루가 대표적이다.

마지막으로, 한옥은 무척 과학적인 집이다. 습기를 막기 위해 한 층 높게 단을 쌓고, 문에는 한지를 발라 집 안의 습기를 조절하는 등 놀라울 정도로 과학적으로 지어졌다.

순 서 짜 임　　　나 열 짜 임

1주

▶ 정답 및 해설 2쪽

2-1 다음 중 설명문의 각 단계에 쓸 내용으로 알맞지 <u>않은</u> 것에 ×표를 하세요.

(1) **처음**: 글쓴이를 자세히 소개한다. ( )

(2) **가운데**: 설명하는 대상에 어울리는 글의 짜임을 정해 대상을 자세히 설명한다.

( )

(3) **끝**: 설명한 내용을 간단히 요약하고 마무리하여 정리한다. ( )

2-2 다음은 설명문의 어떤 부분인지 알맞은 것을 보기 에서 찾아 쓰세요.

읽는 사람의 흥미를 끌 수 있는 내용을 썼네.

나풀나풀 아름다운 나비에 대해 얼마나 알고 있나요? 지금부터 나비에 대해 알아봐요.

나비에 대해 설명할 거라는 것도 밝혀 썼어.

보기

처음   가운데   끝

( ) 부분

나열 짜임으로 설명하기

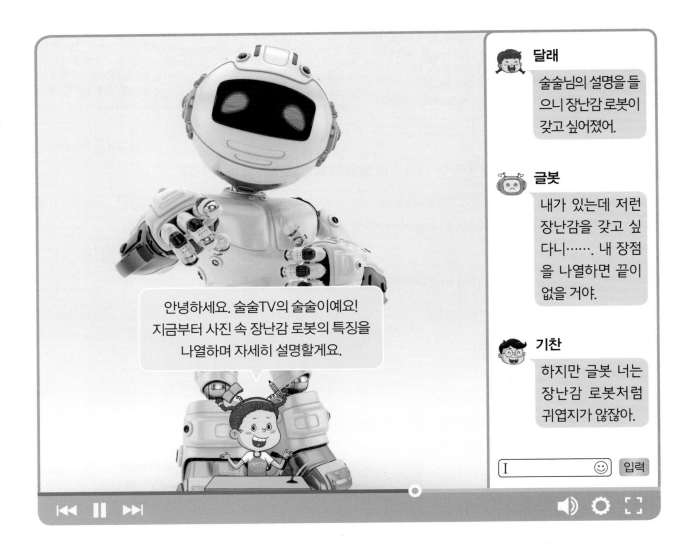

달래
술술님의 설명을 들으니 장난감 로봇이 갖고 싶어졌어.

글봇
내가 있는데 저런 장난감을 갖고 싶다니……. 내 장점을 나열하면 끝이 없을 거야.

기찬
하지만 글봇 너는 장난감 로봇처럼 귀엽지가 않잖아.

안녕하세요. 술술TV의 술술이예요!
지금부터 사진 속 장난감 로봇의 특징을 나열하며 자세히 설명할게요.

대상의 특징을 나열하여 설명해라!

설명문은 어떤 지식이나 정보를 이해하기 쉽게 객관적으로 전달하는 글이에요.

무엇을 설명하는 글은 다양한 짜임으로 쓸 수 있어요. 그중에서도

하나의 주제에 대하여 몇 가지 특징을 늘어놓는 글의 짜임을 나열 짜임이라고 해요.

특징을 나열하여 설명할 때에는 특징마다 '첫째, 둘째, 셋째'와 같은 방식으로 쓰고,

마지막 특징을 쓸 때에는 '마지막으로, 끝으로'와 같은 방식으로 쓸 수 있어요.

◉ 그림에 맞는 퍼즐 모양을 찾아 ○표를 하고, 글의 짜임 중 무엇의 설명에 해당하는지 알아보아요.

1
주

하나의 주제에
대하여 몇 가지
특징을 늘어놓는
글의 짜임

순서
짜임

비교·대조
짜임

나열 짜임

 다음 글의 짜임을 생각하며 문장을 따라 쓰세요.

	첫	째	,		강	아	지	V	로	봇	V	토	미	는	V
말	을	V	따	라	V	할	V	수	V	있	어	요	.		
	둘	째	,		토	미	는	V	혼	자	서	V	움	직	
이	고	V	인	사	도	V	해	요	.						

1_일 나열 짜임으로 설명하기

◉ 다음 대화를 읽고, 나열 짜임에 따라 한식에 대해 설명하는 글을 쓰세요.

다 같이 우리나라 한식의 특징을 한 가지씩 말해 보자.

첫째, 한식은 주로 밥을 먹기 위해 차려. 한식은 주식인 밥을 중심으로 국과 반찬 등의 음식을 한 상에 차려서 먹지.

둘째, 한식은 발효 음식이 발달했어. 간장이나 된장, 김치 같은 음식들 말이야.

끝으로, 한식의 대부분은 갖은 양념을 고루 넣어서 만들어. 그래서 재료와 양념이 어우러져 깊고 풍부한 맛을 내.

🐹 어휘 풀이

▼ **한식** |나라 한 韓, 먹을 식 食| 우리나라 고유의 음식이나 식사.

　　예 한식을 즐기는 외국인들이 늘고 있다.

▼ **차려** 음식 따위를 장만하여 먹을 수 있게 상 위에 벌여.

　　예 할머니의 생신상을 차려 놓았다.

▼ **발효** |술 괼 발 醱, 발효할 효 酵| 효모나 미생물에 의해 유기물이 분해되

　　고 변화하는 작용. 술, 된장, 간장, 치즈 따위를 만드는 데에 쓴다.

▲ 다양한 발효 음식

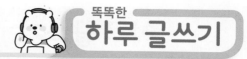

▶ 정답 및 해설 2쪽

낱말 쓰기

다음 한식의 특징을 정리한 내용에 맞게 빈칸에 들어갈 낱말을 각각 쓰세요.

국과 반찬이 맛있어서 밥을 금방 먹었어요!

발효 음식은 건강에도 좋아.

(1) 한식은 주로 ㅂ 을 먹기 위해 차린다.

(2) 한식은 ㅂ ㅎ 음식이 발달했다.

문장 쓰기

다음 자료에서 한식의 특징을 찾아 빈칸에 알맞은 말을 쓰세요.

갖은 양념을 고루 넣어 만든 한식의 맛!

외국인들도 재료와 양념이 어우러진 깊고 풍부한 맛에 반해.

▲ 매콤한 두부김치

한식의 대부분은 ☐☐ ☐☐ 을 고루 넣어서 만든다.

한 편 쓰기

1과 **2**에서 쓴 문장을 넣어 나열 짜임으로 한식에 대해 설명하는 글을 쓰세요.

한식은 한식만의 독특한 특징을 가지고 있다.

첫째, ❶ _____
한식은 주식인 밥을 중심으로 국과 반찬 등의 음식을 한 상에 차려서 먹는다.

둘째, ❷ _____
간장이나 된장, 김치 같은 발효 음식들은 맛도 좋고, 건강에도 좋다.

끝으로, 한식의 대부분은 ❸ _____
그래서 재료와 양념이 어우러져 깊고 풍부한 맛을 낸다.

1

낱말
고쳐쓰기

다음 밑줄 그은 말들의 띄어쓰기를 바르게 고쳐 빈칸에 쓰세요.

한식은 우리 나라의 음식이다.

우리 글은 세종 대왕 때 만들어졌다.

↓

(1) [   ]

↓

(2) [   ]

힌트 '우리나라'는 '우리 한민족이 세운 나라를 스스로 이르는
말.'을 뜻하는 한 낱말이고, '우리글'은 '우리나라의 글자라는
뜻으로, 한글을 이르는 말.'을 뜻하는 한 낱말이에요.

2

문장
고쳐쓰기

다음 친구가 고쳐 쓴 문장 과 같이 밑줄 그은 말을 고쳐, 명령하는 문장을 함께 무엇을 하자고
요청하는 문장으로 고쳐 쓰세요.

┌─ 친구가 고쳐 쓴 문장 ─┐

한식의 특징을 한 가지씩 말해 <u>봐라</u>.

↓

한식의 특징을 한 가지씩 말해 보자.

| 어 | 서 | V | 문 | 제 | 를 | V | 풀 | 어 | V | 봐 | 라 | . |

↓

| 어 | 서 | V | 문 | 제 | 를 | V | 풀 | 어 | V | | | . |

● 다음은 규칙적으로 운동을 하면 좋은 점에 대해 나열 짜임으로 설명하는 글이에요. 빈칸에 알맞은 말을 보기 에서 각각 골라 설명하는 글을 써 보세요.

보기

운동이 병에 대한 면역력을 높여 준다.

적당한 운동은 잠을 더 잘 잘 수 있도록 돕는다.

운동은 우리 몸과 정신을 건강하게 한다.

규칙적으로 운동을 하면 좋은 점들이 많다.

첫째, ❶ _____
운동을 하면 체력이 좋아지고 근육이 발달해 같은 일을 해도 덜 힘들게 느껴진다. 또한 모든 일에 자신감이 붙고 긍정적으로 생각하게 되는 효과가 있다.

둘째, ❷ _____
운동을 하면 더 쉽게 잠들고, 더 깊고 편안한 잠을 잘 수 있다고 한다.

마지막으로, ❸ _____
규칙적으로 운동을 하는 사람은 그렇지 않은 사람에 비해 병에 걸리지 않는다는 연구가 있다. 운동이 면역 작용에 관계된 세포의 기능을 향상시키기 때문이다.

 힌트 뒷받침 문장의 내용을 보고, 규칙적으로 운동을 했을 때의 좋은 점 중에 어떤 점을 설명하고 있는지 생각해 보세요.

순서 짜임으로 설명하기

2일

달래
설명하는 순서대로 종이를 접으면…… 종이비행기 완성!

밤톨
망했어. 설명해 주는 대로 했는데 왜 이러지?

기찬
맨 처음에 종이를 반으로 접고, 그 뒤에 순서대로 접으면 돼.

오늘은 종이비행기 접는 방법을 순서에 따라 설명할 테니 잘 따라해 보세요.

입력

시간이나 공간의 순서에 따라 설명해라!

시간이나 공간의 순서에 따라 설명하는 글의 짜임을 순서 짜임이라고 해요.

무엇을 만들거나 일을 하는 방법을 설명할 때,

순서 짜임으로 글을 쓰면 효율적으로 설명할 수 있어요.

순서에 따라 글을 쓸 때에는 '맨 처음', '~한 뒤에', '~한 다음'과 같은

순서를 알려 주는 표현을 쓰면 좋아요.

▶ 정답 및 해설 3쪽

1주

● 순서 짜임으로 설명하는 글을 쓰는 방법에 맞게 빈칸에 알맞은 말을 쓰고, 퍼즐판에서 찾아 ○표를 하세요.

❶ [시] [간] 이나 공간의 순서에 따라 설명하는 글의 짜임을 순서 짜임이라고 해요.

무엇을 만들거나 일을 하는 방법을 설명할 때, 순서 짜임으로 글을 쓰면 ❷ ⬜⬜⬜ 으로 설명할 수 있어요.

순	살	코	기
서	오	맹	효
배	리	굳	율
시	간	산	적

'맨 처음', '~한 뒤에', '~한 다음'과 같은 ❸ ⬜⬜ 를 알려 주는 표현을 쓰면 좋아요.

순서 짜임으로 설명하기

● 계란말이 만드는 모습을 보고, 순서 짜임에 따라 설명하는 글을 쓰세요.

▲ 계란 푼 물에 파를 넣고 소금 간을 한 뒤에 충분히 섞어 주기

▲ 프라이팬에 식용유를 골고루 두른 뒤에 계란물 붓기

▲ 계란이 조금씩 익으면 끝에서부터 뒤집개로 살살 말아 주기

짜잔! 계란말이 만드는 모습을 게시판에 올렸어.

계란말이 만드는 방법을 순서 짜임에 맞춰 글로 써 보는 것은 어때?

어휘 풀이

▼**간** 음식물에 짠맛을 내는 물질. 소금, 간장, 된장 따위를 통틀어 이름.

　예 미역국은 간장으로 간을 해야 한다.

▼**골고루** '여럿이 다 차이가 없이 엇비슷하거나 같게.'를 뜻하는 '고루고루'의 준말.

　예 아버지께서 반찬을 골고루 먹으라고 하셨다.

▼**두른** 겉면에 기름을 고르게 바르거나 얹은. 예 기름을 두른 팬에 재료를 넣었다.

1주

낱말 쓰기

다음 그림을 보고, 보기 에서 알맞은 낱말을 골라 계란말이 만드는 방법을 쓰세요.

보기

소금　　　　설탕　　　　수돗물　　　　계란물

(1) 맨 처음, 계란 푼 물에 파를 넣고 ⬜ㅅ⬜ㄱ 간을 한 뒤에 충분히 섞어 준다.

(2) 그런 다음 프라이팬에 식용유를 골고루 두른 뒤에 ⬜ㄱ⬜ㄹ⬜ㅁ 을 붓는다.

문장 쓰기

다음 그림을 보고, 계란말이 만드는 마지막 순서의 빈칸에 알맞은 말을 보기 에서 골라 쓰세요.

보기

뒤집개로 살살 말아 준다　　　수세미로 슬슬 닦아 준다

계란이 조금씩 익으면 끝에서부터 ⬜⬜⬜

⬜⬜⬜⬜⬜ .

한 편 쓰기

1과 2에서 쓴 문장을 넣어 순서 짜임으로 계란말이 만드는 방법을 설명하는 글을 쓰세요.

계란말이 만드는 방법은 다음과 같다. 맨 처음, 계란 푼 물에 ❶ _____

_____ 충분히 섞어 준다. 그런 다음 프라이팬에 ❷ _____

_____ . 계란이 조금씩 익으면

❸ _____ .

1

낱말
고쳐쓰기

다음 남자아이의 말에서 밑줄 그은 부분을 각각 바르게 고쳐 쓰세요.

계란을 충분이 섞어 준다.

계란이 익도록 잠시 가만이 둔다.

(1) 계란을 ☐☐☐ 섞어 준다.

(2) 계란이 익도록 잠시 ☐☐☐ 둔다.

힌트 밑줄 그은 말들처럼 마지막 글자의 소리가 '히'로도 나고, '이'로도 나는 말은 적을 때 '–히'로 적어요.

2

문장
고쳐쓰기

다음 친구가 쓴 문장 에서 밑줄 그은 부분을 알맞은 뜻이 되도록 말의 순서를 바르게 바꾸어 고쳐 쓰고, 문장을 따라 쓰세요.

친구가 쓴 문장

계란을 끝부터에서 살살 말아 준다.

계	란	을	V					V	살	살	V
말	아	V	준	다	.						

힌트 범위의 시작이나 어떤 행동의 출발점을 나타내려면 '에서'와 '부터'를 차례대로 합쳐야 해요.

똑똑한 하루 글쓰기 마무리

내 생각 쓰기로 하루 마무리

▶ 정답 및 해설 3쪽

● 다음 만화를 읽고, 빈칸에 알맞은 말을 넣어 비사치기 하는 방법을 순서 짜임에 맞게 설명하는 글을 쓰세요.

전통 놀이인 비사치기는 누구나 쉽고 간단하게 즐길 수 있다.

먼저, ❶ _____. 돌을 고르고 나면, 가위바위보에서 진 편이 일정한 자리에 선을 긋고 자기 돌을 세운다. 그런 다음,

❷ _____
_____.

3일 비교·대조 짜임으로 설명하기

> **밤톨**
> 호랑이와 사자는 같은 고양잇과 동물이야.
>
> **달래**
> 호랑이는 숲에 살지만 사자는 초원에 살지.
>
> **기찬**
> 호랑이는 혼자 생활하지만 사자는 무리 지어 생활한다는 차이도 있어.

호랑이와 사자는 비슷한 점도 많고 다른 점도 많은 동물이에요. 오늘은 호랑이와 사자의 공통점과 차이점을 설명해 볼게요.

대상의 공통점과 차이점을 찾아 설명해라!

두 가지 이상의 대상에서 공통점과 차이점을

찾아 설명하는 글의 짜임을 비교·대조 짜임이라고 해요.

비교·대조는 두 가지 이상의 대상을 서로 견주어 설명하기에 좋은 방법이에요.

공통점을 설명할 때에는 '비슷하다' 등의 표현을,

차이점을 설명할 때에는 '차이가 있다.' 등의 표현을 써요.

◉ 그림에 맞는 퍼즐 모양을 찾아 ◯표를 하고, 글의 짜임 중 무엇의 설명에 해당하는지 알아보아요.

두 가지 이상의
대상에서
공통점과 차이점을
찾아 설명하는
글의 짜임

순서
짜임

비교·대조
짜임

나열
짜임

다음 글의 짜임을 생각하며 문장을 따라 쓰세요.

	호	랑	이	와	V	사	자	는	V	고	양	잇	과	V
동	물	이	다	.	호	랑	이	는	V	혼	자	V	생	
활	하	지	만	V	사	자	는	V	무	리	V	지	어	V
생	활	한	다	는	V	차	이	가	V	있	다	.		

비교·대조 짜임으로 설명하기

● 다음 대화를 읽고, 비교·대조 짜임에 따라 축구와 야구에 대해 설명하는 글을 쓰세요.

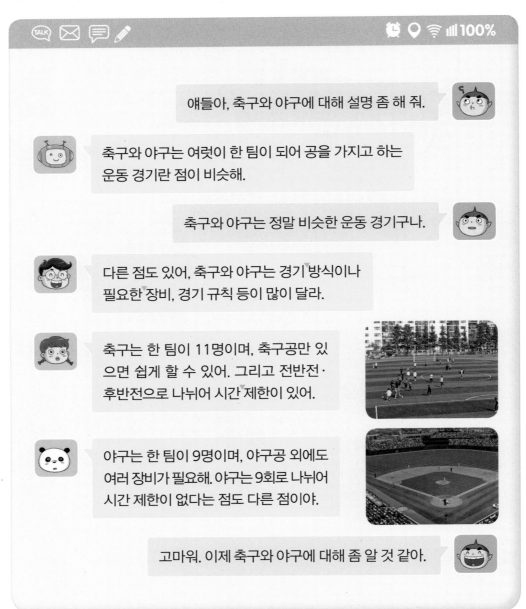

얘들아, 축구와 야구에 대해 설명 좀 해 줘.

축구와 야구는 여럿이 한 팀이 되어 공을 가지고 하는 운동 경기란 점이 비슷해.

축구와 야구는 정말 비슷한 운동 경기구나.

다른 점도 있어. 축구와 야구는 경기 방식이나 필요한 장비, 경기 규칙 등이 많이 달라.

축구는 한 팀이 11명이며, 축구공만 있으면 쉽게 할 수 있어. 그리고 전반전·후반전으로 나뉘어 시간 제한이 있어.

야구는 한 팀이 9명이며, 야구공 외에도 여러 장비가 필요해. 야구는 9회로 나뉘어 시간 제한이 없다는 점도 다른 점이야.

고마워. 이제 축구와 야구에 대해 좀 알 것 같아.

어휘 풀이

▼ **방식**|모 방 方, 법 식 式| 일정한 방법이나 형식. 예) 문제를 푸는 방식이 틀렸다.

▼ **장비**|꾸밀 장 裝, 갖출 비 備| 갖추어 차림. 또는 그 장치와 설비.
예) 등산을 갈 때는 필요한 장비를 잘 갖추고 가야 한다.

▼ **제한**|억제할 제 制, 한계 한 限| 일정한 한도를 정하거나 그 한도를 넘지 못하게 막음. 또는 그렇게 정한 한계. 예) 이 뷔페 식당에는 두 시간의 제한 시간이 있다.

낱말 쓰기

1 다음 그림을 보고, 축구와 야구의 공통점은 무엇인지 빈칸에 알맞은 말을 쓰세요.

야구공과 축구공이 있는데 어떤 경기를 할까?

축구와 야구는 여럿이 한 팀이 되어 [ㄱ]을 가지고 하는 운동 경기란 점이 비슷하다.

문장 쓰기

2 축구와 야구의 차이점이 잘 드러나도록 보기 에서 알맞은 말을 골라 빈칸에 각각 쓰세요.

보기

여러 장비가 필요   시간 제한이 있다

(1) 축구는 한 팀이 11명이며, 축구공만 있으면 쉽게 할 수 있고, 전·후반전으로 나뉘어

☐☐☐☐☐☐☐ .

(2) 야구는 한 팀이 9명이며, 야구공 외에도 ☐☐☐☐☐☐

하고, 9회로 나뉘어 시간 제한이 없다는 점이 다른 점이다.

한 편 쓰기

3 1과 2에서 쓴 문장을 넣어 비교·대조 짜임으로 축구와 야구에 대해 설명하는 글을 쓰세요.

축구와 야구는 ❶ _____

_____ 란 점이 비슷하다.

축구는 ❷ _____

_____ 있다.

야구는 ❸ _____

_____ 는 점이 다른 점이다.

1

낱말
고쳐쓰기

다음 밑줄 그은 낱말 대신 바꿔 쓰기에 알맞은 낱말을 보기 에서 골라 바꿔 써 보세요.

보기

유사하다 서로 비슷하다.

흡사하다 거의 같을 정도로 비슷하다.

힌트 어떤 말로 바꾸어 써도 모두 답이 될 수 있어요. 자기가 바꿔 쓰고 싶은 말을 골라 문장을 완성해 보세요.

축구와 야구는 여럿이 한 팀이 되어 공을 가지고 하는 운동 경기란 점이 <u>비슷하다</u>.

↓

축구와 야구는 여럿이 한 팀이 되어 공을 가지고 하는 운동 경기란 점이 ☐ ☐ ☐ ☐ .

2

문장
고쳐쓰기

다음 친구가 고쳐 쓴 문장 과 같이 밑줄 그은 말을 알맞은 말로 고치고, 문장을 따라 쓰세요.

친구가 고쳐 쓴 문장

종이비행기는 <u>색종이도</u> 있으면 만들 수 있다.

↓

종이비행기는 <u>색종이만</u> 있으면 만들 수 있다.

축	구	는	∨	축	구	공	도	∨	있	으	면	∨
쉽	게	∨	할	∨	수	∨	있	다	.			

↓

축	구	는	∨					∨	있	으	면	∨
쉽	게	∨	할	∨	수	∨	있	다	.			

힌트 축구를 하는 데 축구공 말고는 필요한 것이 없어요. 그래서 '축구공' 뒤에, 있어야 할 것을 축구공으로 한정하는 '만'이 와야 해요.

◎ 다음 대화를 읽고, 개와 고양이의 공통점과 차이점을 설명하는 글을 써 보세요.

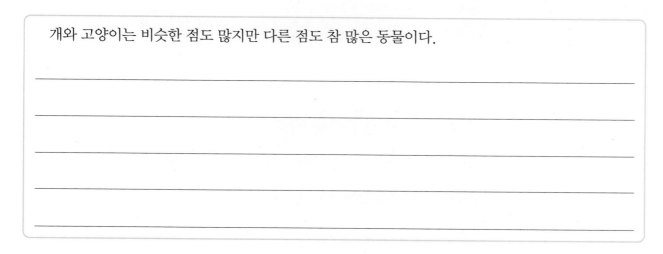

개와 고양이는 비슷한 점도 많지만 다른 점도 참 많은 동물이다.

_____

_____

_____

_____

_____

힌트 친구들이 개와 고양이에 대해 설명하고
있는 내용들을 차례대로 정리하거나 자신의
생각을 정리해 글을 써 봐요.

처음 부분과 끝부분 쓰기

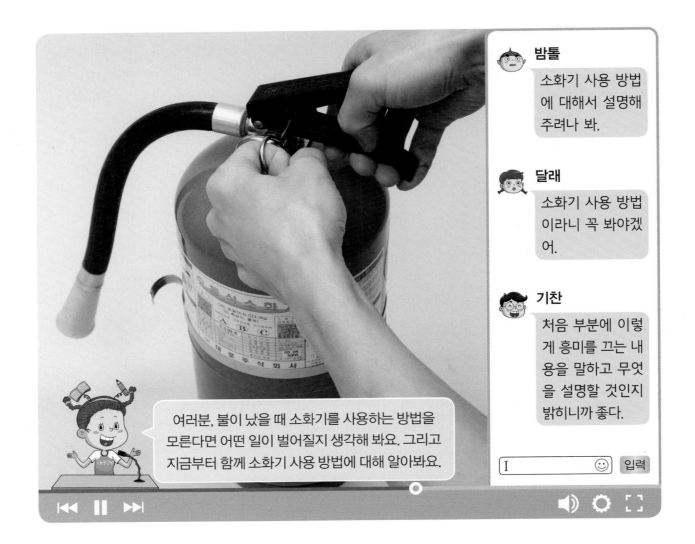

밤톨
소화기 사용 방법에 대해서 설명해 주려나 봐.

달래
소화기 사용 방법이라니 꼭 봐야겠어.

기찬
처음 부분에 이렇게 흥미를 끄는 내용을 말하고 무엇을 설명할 것인지 밝히니까 좋다.

여러분, 불이 났을 때 소화기를 사용하는 방법을 모른다면 어떤 일이 벌어질지 생각해 봐요. 그리고 지금부터 함께 소화기 사용 방법에 대해 알아봐요.

I ☺ 입력

처음 부분과 끝부분을 덧붙여 설명문을 완성해라!

설명문은 글을 쉽게 이해할 수 있도록 '처음-가운데-끝'의 세 단계로 써요.

1~3일차에서 여러 가지 짜임으로 설명하는 글을 쓴 가운데 부분에

처음 부분과 끝부분을 덧붙여 봐요.

처음 부분에서는 읽는 사람의 흥미를 끌어야 하고, 무엇을 설명할 것인지를 밝혀야 해요.

끝부분에서는 설명한 내용을 간단히 요약하고 마무리하여 정리해야 해요.

○ 사다리 타기를 하여 도착한 곳의 낱말을 따라 쓰며, 설명문의 처음 부분과 끝부분을 어떻게 쓰는지 알아보아요.

> 설명문은 글을
> 쉽게 이해할 수 있도록

> 처음 부분에서는 읽는 사람의
> 흥미를 끌어야 하고,

> 끝부분에서는 설명한
> 내용을 간단히 요약하고

마무리하여

정 리 해야 해요.

'처 음 -가운데-
끝'의 세 단계로 써요.

무엇을 설 명 할
것인지를 밝혀야 해요.

처음 부분과 끝부분 쓰기

● 다음 글을 읽고, 설명문의 처음 부분과 끝부분에 들어갈 내용을 써 보세요.

처음

- 읽는 사람의 흥미를 끄는 내용
- 무엇을 설명할 것인지 밝히는 말

다음 문제의 답을 맞혀 보자. 거미는 곤충일까? 답은 '곤충이 아니다.'이다. 어떤 동물이 곤충인지 아닌지를 구분할 수 있는 곤충의 특징에는 무엇이 있을까?

가운데

- 설명하려는 내용에 대한 알기 쉽고 자세한 설명

첫째, 몸이 머리, 가슴, 배 세 부분으로 이루어져 있다. 거미처럼 몸이 머리가슴과 배 두 부분으로만 되어 있는 동물은 곤충이 아니다.

둘째, 가슴에 세 쌍의 다리를 지니고 있다. 여러 마디로 된 곤충의 다리는 항상 세 쌍으로, 다리가 네 쌍인 거미는 역시 곤충이 아니다.

마지막으로, 대부분의 곤충은 두 쌍의 날개를 가지고 있다. 하지만 곤충이면서도 초파리처럼 날개가 한 쌍이거나 일개미처럼 날개가 없는 경우도 있다.

끝

- 설명한 내용을 간단히 요약
- 마무리하여 정리

이와 같은 특징으로 동물을 곤충인지 아닌지 구분할 수 있다.

🐭 **어휘 풀이**

▼ **흥미** |일어날 흥 興, 맛 미 味| 흥을 느끼는 재미. 예 수현이는 바둑에 흥미를 느꼈다.

▼ **쌍** |쌍 쌍 雙| 둘을 하나로 묶어 세는 단위. 예 비둘기 한 쌍이 옥상에 앉아 있다.

▼ **마디** 곤충 등의 몸을 이룬 낱낱의 부분.

▲ 곤충의 마디

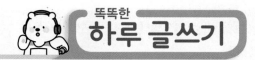
낱말 쓰기

글의 처음 부분을 새롭게 다시 쓰려고 해요. 다음 그림을 보고, 빈칸에 알맞은 낱말을 쓰세요.

곤충은 어떤 특징을 가지고 있을까요?

우리 주변에 살고 있는 곤충들을 알아볼 수 있도록 곤충의 [ㅌ] [ㅈ] 에 대해 알아보자.

문장 쓰기

설명문의 끝부분도 새롭게 다시 쓰려고 해요. 다음 빈칸에 알맞은 말을 보기 에서 골라 각각 쓰세요.

보기

| 곤충을 구분 | 곤충을 헷갈리는 일 | 거미를 사육 |

❶ [   ] 할 수 있는 곤충의 특징에 대해 알아보았다.

❷ 곤충의 특징을 알고 있다면 다른 동물과 [   ] 은 없을 것이다.

한 편 쓰기

2에서 완성한 문장을 넣어 끝부분의 내용을 바꾸어 쓰세요.

	❶			∨			∨	∨		∨
			∨		에	∨	대	해	∨	알	아	보
았	다	.	❷곤	충	의	∨	특	징	을	∨	알	고	∨
있	다	면	∨			∨			∨			∨
			∨			∨		∨			.

4일 똑똑한 하루 글쓰기 고쳐쓰기

▶ 정답 및 해설 5쪽

1
낱말 고쳐쓰기

다음 문장의 밑줄 그은 낱말을 보기 에서 알맞은 낱말을 각각 골라 바르게 고쳐 쓰세요.

보기

| 맞혀 | 문제에 대한 답을 틀리지 않게 하여. |
| 맞춰 | 둘 이상의 일정한 대상들을 나란히 놓고 비교하여 살피어. |

(1) 다음 문제의 답을 <u>맞춰</u> 보자.

→ 다음 문제의 답을 ☐☐ 보자.

(2) 시험지를 정답과 <u>맞혀</u> 보았다.

→ 시험지를 정답과 ☐☐ 보았다.

2
문장 고쳐쓰기

다음 친구가 쓴 문장 과 같이 두 문장을 하나로 합쳐서 한 문장으로 만들어 쓰세요.

친구가 쓴 문장

대부분의 곤충은 두 쌍의 날개를 가지고 <u>있다.</u> <u>하지만</u> 날개가 한 쌍이거나 없는 경우도 있다.

↓

대부분의 곤충은 두 쌍의 날개를 가지고 있지만 날개가 한 쌍이거나 없는 경우도 있다.

힌트
'있다. 하지만'을 '있지만'으로 줄여서 두 문장을 하나로 합칠 수 있어요.

개미는 <u>곤충이다.</u> <u>하지만</u> 대부분의 개미는 날개를 가지고 있지 않다.

↓

개	미	는	V					V	대	부	분
의	V	개	미	는	V	날	개	를	V	가	지	고	V
있	지	V	않	다	.						

▶ 정답 및 해설 5쪽

● **보기** 의 내용 중 다음 설명문의 처음 부분과 끝부분에 어울리는 문장을 각각 골라 글을 완성해 보세요.

보기

> 이렇게 만들어진 김치는 한국인의 밥상에서 빠질 수 없는 반찬으로 사랑받고 있다.
>
> 일 년 열두 달 하루도 빠지지 않고 우리 밥상을 지키는 김치가 어떻게 만들어지는지 알아 보자.

처음	
가운데	김치를 만들 때에 맨 처음 할 일은 재료를 준비하는 것이다. 배추와 젓갈, 고춧 가루, 파, 마늘 등 김치에 들어갈 재료들을 준비한다. 재료를 준비한 뒤에는 배추 를 절여야 한다. 배추를 적당히 쪼개어 소금물에 10시간 이상 담가 절이고, 물에 깨끗하게 씻은 다음 물기를 뺀다. 그다음에는 무를 얇게 썬 무채와 각종 양념을 넣고 버무려 김치에 넣을 소를 만든다. 그리고 절인 배춧잎 사이사이에 소를 넣으 면 맛있는 김치가 된다.   
끝	

힌트 처음 부분에서는 읽는 사람의 흥미를 끌어야 하고, 김치를 만드는 방법에 대해 설명할 것임을 밝혀야 해요. 그리고 끝부분에서는 설명한 내용을 간단히 요약하고 마무리하여 정리해야 해요.

5일 설명문 쓰기

밤톨
즉석 떡볶이 만드는 방법이니까 순서 짜임이 어울리겠군.

기찬
처음과 끝에는 어떤 내용을 쓸까?

달래
술술님이 설명문을 다 쓰면 꼭 읽어 봐야지.

오늘은 즉석 떡볶이 만드는 방법을 '처음-가운데-끝'의 세 단계로 구성하여 설명문을 써 볼게요.

(I   ☺) 입력

🌟 설명문을 써라.

자신이 잘 알고 있는 대상을 골라 설명문을 써 봐요.

처음 부분에서는 읽는 사람의 흥미를 끌어야 하고, 무엇을 설명할 것인지를 밝혀요.

가운데 부분에서는 설명하는 대상에 어울리는 글의 짜임을 정해 대상을 자세히 설명해요.

끝부분에서는 설명한 내용을 간단히 요약하고 마무리하여 정리해야 해요.

◉ 설명문을 쓰는 방법에 맞게 빈칸에 알맞은 말을 쓰고, 퍼즐판에서 찾아 ◯표를 하세요.

❶ ☐ ☐ 부분에서는 읽는 사람의 흥미를 끌어야 하고, 무엇을 설명할 것인지 밝혀야 해요.

가운데 부분에서는 설명하는 대상에 어울리는 글의 ❷ ☐ ☐ 을 정해 대상을 자세히 설명해요.

진	주	처	음
짜	신	하	강
임	사	요	리
금	색	약	도

끝부분에서는 설명한 내용을 간단히 ❸ ☐ ☐ 하고 마무리하여 정리해야 해요.

설명문 쓰기

● 다음 만화를 읽고, 설명문을 써 보세요.

🐭 **어휘 풀이**

▼ **정리** |가지런할 정 整, 다스릴 리 理| 흐트러지거나 혼란스러운 상태에 있는 것을 한데 모으거나 치워서
질서 있는 상태가 되게 함. 예 방을 깨끗하게 정리하였다.

▼ **과감** |열매 과 果, 감히 감 敢|히 결단력이 있고 용감하게. 예 선수가 과감히 공을 찼다.

▼ **효율** |본받을 효 效, 율 율 率| 들인 노력과 얻은 결과의 비율.
예 세탁기를 사니 집안일도 효율이 높아졌다.

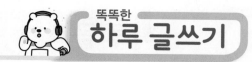
낱말 쓰기

1단계

다음 만화를 읽고, 빈칸에 알맞은 말을 넣어 설명문의 처음 부분을 완성하세요.

방을 보면 그 사람의 성격을 알 수 있다고 했어. 내가 방 **정리** 잘하는 방법을 알려 줄게.

(1) | ㅂ | 을 보면 그 사람의 성격을 알 수 있다고 한다.

(2) 방 | ㅈ | ㄹ | 잘하는 방법을 알아보자.

문장 쓰기

2단계

설명문의 가운데 부분에 쓸 내용 중에서 중요한 내용을 간추리려고 해요. 다음 빈칸에 알맞은 말을 보기 에서 골라 각각 쓰세요.

보기

| 찾기 쉬운 곳 | 필요하지 않은 물건 | 시작하기 전 |

❶ 첫째, [　　　　　　　　] 은 과감히 버린다.

❷ 둘째, 자주 쓰는 물건을 [　　　　] 에 정리한다.

❸ 마지막으로, 다른 일을 [　　　] 에 쓰던 물건들을 정리한다.

한 편 쓰기

3단계

설명문의 끝부분에 쓸 내용을 보기 에서 한 가지 골라 쓰세요.

보기

깨끗하게 정리된 방은 일의 효율을 높여 주고, 기분을 좋게 해 줄 것이다.

방을 정리하는 일은 쉽지만 부지런함이 필요한 일이다.

방 정리 잘하는 방법을 알아보았다. _____

_____

▶정답 및 해설 6쪽

1
낱말
고쳐쓰기

다음 `친구가 쓴 문장` 에서 밑줄 그은 말을 뜻이 비슷한 다른 낱말로 고쳐 쓰려고 해요. `보기` 에서 뜻이 비슷한 낱말을 찾아 바꿔 써 보세요.

보기

즉시즉시   그때마다 바로바로.

슬금슬금   남이 알아차리지 못하도록 눈치를 살펴 가면서 슬며시 행동하는 모양.

`친구가 쓴 문장`

<u>바로바로</u> 물건을 정리하면 물건을 잃어버리는 일이 줄어든다.

↓

`고쳐 쓴 문장`

☐☐☐☐ 물건을 정리하면 물건을 잃어버리는 일이 줄어든다.

2
문장
고쳐쓰기

다음 `친구가 쓴 문장` 과 같이 두 문장을 하나로 합쳐서 한 문장으로 만들어 쓰세요.

`친구가 쓴 문장`

물건을 찾아 꺼내는 <u>시간을</u> 아낄 수 있다. 물건을 찾아 꺼내는 <u>노력을</u> 아낄 수 있다.

↓

물건을 찾아 꺼내는 <u>시간과 노력을</u> 아낄 수 있다.

힌트 비슷한 두 문장에서 공통되는 부분을 남기고, '와/과'를 사용해 밑줄 그은 부분을 합쳐 한 문장으로 만들 수 있어요.

아침으로 먹은 <u>밥이</u> 맛있었다. 아침으로 먹은 <u>국이</u> 맛있었다.

↓

아	침	으	로	∨	먹	은	∨			∨			∨
맛	있	었	다	.									

▶ 정답 및 해설 6쪽

◉ 다음 주제와 글의 짜임 중 한 가지를 골라, 설명문을 한 편 써 보세요.

자신이 좋아하는 물건이나
동물의 특징 (나열 짜임)

자신이 가장 잘하는 요리를
만드는 방법 (순서 짜임)

대중교통 두 가지의 공통점
과 차이점 (비교·대조 짜임)

제목: _____

힌트 자신이 잘 알고 있는 주제를 골라야 설명문을
더 쉽게 쓸 수 있고, 자세하게 쓸 수 있어요.

생활 어휘 다음 만화를 보며 속담의 뜻을 알아보고, 상황에 맞게 속담을 써 보세요.

식혜 먹은 고양이 속

속담의 뜻을 알아봐요!

식혜 먹은 고양이 속

이 속담은

"죄를 짓고 그것이 탄로 날까 봐 근심하는 마음"이라는 뜻이랍니다.

이제 이 속담을 넣어 상황에 맞게 써 볼까요?

잘못을 저지른 동생이 안절부절못하는 것을

보니 "⬜⬜⬜⬜⬜⬜

⬜⬜" 같다.

● 문별이네 가족이 한식집에서 외식을 하려고 해요. 어떤 낱말의 뜻인지 알맞은 답을 찾아 따라 쓰며, 문별이네 가족이 가기로 한 한식집을 찾아가세요.

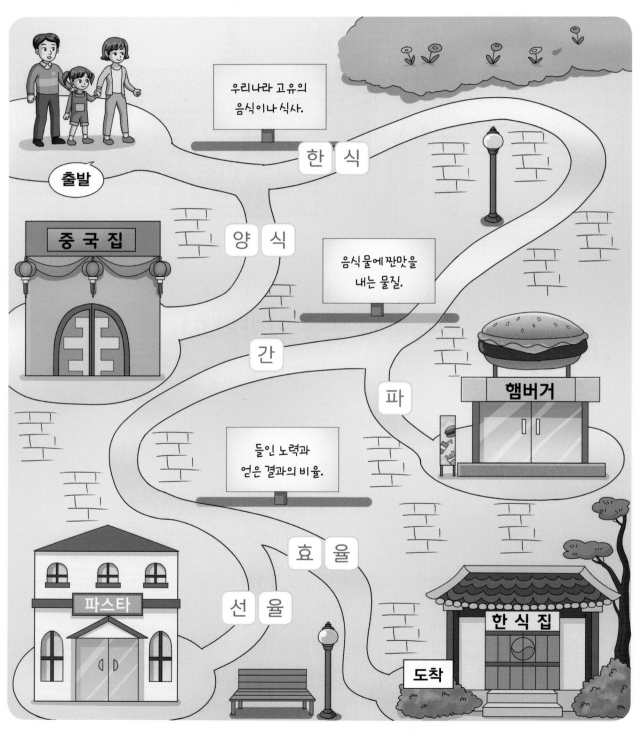

 창의 1주에 나왔던 **낱말과 그 뜻**을 익히며 외식 장소인 한식집까지 찾아가세요.

● 다음 코딩 명령을 따라가서 모을 수 있는 계란말이를 만드는 데 필요한 재료의 이름을 모두 쓰세요.

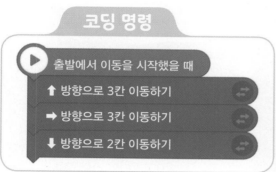

코딩 명령 풀이

위쪽으로 세 칸,
오른쪽으로 세 칸,
아래쪽으로 두 칸 이동해요.

 지한이는 계란말이를 만들기 위해서 ☐☐ , ☐ , ☐ 을 모았어요.

코딩 코딩 명령에 따라 이동하여 **계란말이 재료를 모으는 미션**을 해 봅니다.

● 다음 친구들의 대화를 읽고, 친구들이 이야기하는 동물 ○○○와 □□가 무엇무엇인지 쓰세요.

독수리

코끼리

사슴

호랑이

까마귀

토끼

사자

○○○와 □□는 땅에서 살고, 다른 동물을 잡아먹는 육식 동물이란 점이 비슷해요.

○○○는 주로 혼자 생활해요. 그리고 털은 노란색이며 몸 아래쪽에는 흰색 털이 나 있어요. 몸 전체에 멋진 검은색 줄무늬가 있어요.

□□는 무리를 지어 생활해요. 그리고 몸 전체에 노랗고 짧은 털이 나 있어요. 목 주변에 멋진 갈기를 가지고 있어요.

 아이들은 ☐☐☐ 와 ☐☐ 의 공통점과 차이점에 대해 말하고 있어요.

융합 국어+과학 아이들이 말한 **두 동물의 공통점과 차이점**을 보고 어떤 동물들에 대해 이야기하는지 찾아봅니다.

1주

◉ 가족들이 모두 모여 김치를 담그고 있어요. 두 그림에서 다른 부분을 다섯 군데 찾아 ◯표를 하세요.

 창의 　**김치를 만드는 방법**에 대해 순서 짜임으로 쓴 설명문을 떠올리며 두 그림에서 **다른 부분을 모두 찾아**봅니다.

1 다음 설명에 맞는 글의 짜임에 ◯표를 하세요.

> 시간이나 공간의 순서에 따라 설명하는 글의 짜임이다.

(나열 , 순서 , 비교·대조) 짜임

[2~3] 다음 글을 읽고, 물음에 답하세요.

한식은 한식만의 독특한 특징을 가지고 있다.

첫째, 한식은 주로 밥을 먹기 위해 차린다. 한식은 주식인 밥을 중심으로 국과 반찬 등의 음식을 한 상에 차려서 먹는다.

둘째, 한식은 발효 음식이 발달했다. 간장이나 된장, 김치 같은 발효 음식들은 맛도 좋고, 건강에도 좋다.

__㉠__ , 한식의 대부분은 갖은 양념을 고루 넣어서 만든다. 그래서 재료와 양념이 어우러져 깊고 풍부한 맛을 낸다.

2 다음 중 이 글에서 설명하는 주제로 알맞은 것에 ◯표를 하세요.

양식의 특징

한식의 특징

3 글쓰기

__㉠__ 에 들어가기에 알맞은 말을 **보기** 에서 골라 문장을 완성하고 따라 쓰세요.

보기

첫째로   끝으로

				,	한	식	의	∨
대	부	분	은	∨	갖	은	∨	
양	념	을	∨	고	루	∨	넣	
어	서	∨	만	든	다	.		

[4~5] 다음 글을 읽고, 물음에 답하세요.

계란말이 만드는 방법은 다음과 같다. ㉠맨 처음, 계란 푼 물에 파를 넣고 소금 간을 한 뒤에 ㉡충분히 섞어 준다. ㉢그런 다음 프라이팬에 식용유를 골고루 두른 뒤에 계란물을 붓는다. 계란이 조금씩 익으면 끝에서부터 뒤집개로 살살 말아 준다.

4 이 글에서 설명하는 주제가 무엇인지 빈칸에 알맞은 말을 찾아 쓰세요.

· ☐☐☐☐ 만드는 방법

5 ㉠~㉢ 중에서 일을 하는 순서를 알려 주는 말이 <u>아닌</u> 것은 어느 것인지 기호를 쓰세요.

(　　　　　)

[6~7] 다음 글을 읽고, 물음에 답하세요.

> 축구와 야구는 여럿이 한 팀이 되어 공을 가지고 하는 운동 경기란 점이 비슷하다.
> 축구는 한 팀이 11명이며, 축구공만 있으면 쉽게 할 수 있고, 전·후반전으로 나뉘어 시간 제한이 있다. 야구는 한 팀이 9명이며, 야구공 외에도 여러 장비가 필요하고, 9회로 나뉘어 시간 제한이 없다는 점이 ⓘ 이다.

▲ 축구

▲ 야구

6 ㉠ 안에 들어갈 말로 알맞은 것에 ○표를 하세요.

(같은 점 , 다른 점)

글쓰기

7 축구와 야구의 공통점으로 알맞은 말을 보기에서 골라 문장을 완성하고, 따라 쓰세요.

> 보기
> 공을 가지고 하는   장비 없이도 하는

여	럿	이	∨	한	∨	팀
이	∨	되	어	∨		∨
			∨			∨ 운
동	∨	경	기	란	∨	점	이
비	슷	하	다	.		

8 다음 중 설명문의 처음 부분과 끝부분에 들어갈 내용을 알맞게 선으로 이으세요.

(1) 처음 •

(2) 끝 •

• ① 마무리하여 정리함.

• ② 무엇을 설명할 것인지 밝힘.

9 다음 글은 설명문의 가운데 부분이에요. 이 글의 끝부분에 들어갈 내용을 알맞게 쓴 사람의 이름에 ○표를 하세요.

> 재료를 준비한 뒤에는 배추를 절여야 한다. 배추를 적당히 쪼개어 소금물에 10시간 이상 담가 절이고, 물에 깨끗하게 씻은 다음 물기를 뺀다. 그다음에는 무를 얇게 썬 무채와 각종 양념을 넣고 버무려 김치에 넣을 소를 만든다. 그리고 절인 배춧잎 사이사이에 소를 넣으면 맛있는 김치가 된다.

> **상호:** 이렇게 만들어진 김치는 한국인의 밥상에서 빠질 수 없는 반찬으로 사랑받고 있다.
> **서영:** 일 년 열두 달 하루도 빠지지 않고 우리 밥상을 지키는 김치가 어떻게 만들어지는지 알아보자.

10 다음 설명문의 처음 부분을 읽고, 설명문에서 설명할 주제가 무엇인지 쓰세요.

> 방을 보면 그 사람의 성격을 알 수 있다고 한다. 방 정리 잘하는 방법을 알아보자.

(   )

2주

2주에는 무엇을 공부할까? ❶

겪은 일을 이야기로 바꾸어 써 보자!

1-1 겪은 일을 이야기로 바꾸어 쓸 때 정리할 내용이 <u>아닌</u> 것에 ×표를 하세요.

(1) 나오는 인물   (   )

(2) 일어난 사건   (   )

(3) 때와 장소의 변화   (   )

(4) 비슷한 일을 겪은 친구   (   )

1-2 겪은 일을 이야기로 바꾸어 쓰기 위해 정리한 내용에 맞도록 빈칸에 알맞은 말을 각각 쓰세요.

나오는 ㅇ ㅁ	정훈, 지민, 소라
일어난 ㅅ ㄱ	달리기 연습에서 일 등으로 달리던 정훈이가 넘어져서 다쳤다.
ㅈ ㅅ 의 변화	운동장 → 보건실

▶정답 및 해설 9쪽

2-1 겪은 일을 이야기로 바꾸어 쓰는 방법을 알맞게 말하지 <u>못한</u> 친구에 ×표를 하세요.

대화 글을 넣어 써서 재미있게 바꾸어 쓸 수 있어.

기찬

(   )

일어난 일의 차례를 바꾸어 쓸 수도 있어.

밤톨

(   )

반드시 일어난 일을 거짓 없이 써야 해.

달래

(   )

2-2 겪은 일을 이야기로 바꾸어 쓰려고 해요. 어떤 방법으로 바꾸어 쓸 수 있는지 빈칸에 알맞은 낱말을 보기 에서 각각 골라 쓰세요.

겪은 일   가족들과 등산을 갔다. 힘들 때마다 서로 격려해 주면서 올라갔더니 금방 올라갈 수 있었다.

보기

소리   대화

사건   그림

(1) 나와 동생이 말한 내용을 [   ][   ] 글로 쓴다.

(2) 등산을 하며 일어날 수 있는 [   ][   ]을 지어서 쓴다.

인물, 사건, 배경 정리하기

기찬
우리 지난주에 식물원에 갔던 일을 이야기로 쓰자.

밤톨
그래. 내가 인물, 사건, 배경을 정리해 볼게.

달래
너희들, 또 나만 빼고 놀러 간 거야?

이번 주에는 겪은 일을 이야기로 바꾸어 쓸 거예요. 그러려면 먼저 겪은 일을 떠올려 정리해야겠죠? 저는 병원에서 주사 맞았던 일이 생각나네요. 여러분은 어떤 일이 떠오르나요?

겪은 일에서 인물, 사건, 배경을 정리해 써라!

겪은 일을 이야기로 쓸 때에는 먼저 실제로 겪은 일을 떠올려 봐요.

그다음에 어떤 인물이 나오는지, 어떤 사건이 있었는지,

사건이 일어났던 때와 장소는 어떻게 변했는지 정리해서 써 봐요.

이때, 사건이 일어난 때와 장소를 합쳐서 배경이라고 해요.

▶ 정답 및 해설 9쪽

◉ 사다리 타기를 하여 도착한 곳의 낱말을 따라 쓰며, 겪은 일을 정리하는 방법을 알아보아요.

1일 인물, 사건, 배경 정리하기

○ 다음 만화를 읽고, 친구들이 겪은 일을 정리하여 쓰세요.

어휘 풀이

▼ **오랜만** 어떤 일이 있은 때로부터 긴 시간이 지난 뒤. ⓔ 오랜만에 등산을 했더니 다리가 뻐근했다.

▼ **신기**|새로울 신 新, 기이할 기 奇|**하지** 새롭고 기이하지.

　　ⓔ 무엇이든 만들 수 있는 이 기계는 정말 신기하지?

▼ **웅성거리고** 여러 사람이 모여 소란스럽게 떠드는 소리가 자꾸 나고.

　　ⓔ 정신을 차리니 사람들이 나를 보며 웅성거리고 있었다.

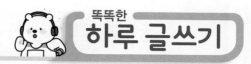
낱말 쓰기

친구들이 겪은 일을 인물, 배경에 따라 정리하려고 해요. 빈칸에 알맞은 낱말을 쓰세요.

오랜만에 동물원에 오니까 재미있다. 오랫동안 놀다 가자.

- **인물**: 밤톨, 달래, 기찬, 글봇, 판판
- **배경**: 일요일, ㄷ ㅁ ㅇ

2주

문장 쓰기

다음 그림을 보고 일어난 사건을 정리할 때, 빈칸에 알맞은 말을 보기 에서 모두 골라 쓰세요.

친구들아! 에서 도망쳐!

보기

우리를 열고   우리를 닫고

판다들을 탈출   판다들을 진정

판판이 판다 ☐☐☐☐☐☐☐☐☐☐

시켰다.

한 편 쓰기

1과 2의 내용을 바탕으로 하여 인물, 사건, 배경이 잘 드러나도록 친구들이 겪은 일을 정리하세요.

❶밤	톨,	달	래,	기	찬,	글	봇,	판	
판	이	V	일	요	일	에	V		에	V	갔
는	데,	❷		V		V			V
		V			V				

▶ 정답 및 해설 9쪽

1 다음 문장의 밑줄 그은 낱말을 각각 바르게 고쳐 쓰세요.

낱말
고쳐쓰기

살이 쪄서 얼굴이 점점 <u>동그레졌다.</u>

↓

(1) 동 ☐ ☐ ☐ ☐ .

달이 점차 <u>둥그래졌다.</u>

↓

(2) 둥 ☐ ☐ ☐ ☐

 힌트 우리말에는 비슷한 느낌의 모음자를 어울려 쓰는 경우가 많아요. 'ㅗ'는 'ㅐ'와 어울려 쓰고, 'ㅜ'는 'ㅔ'와 어울려 써요.

2 다음 달래의 말에서 밑줄 그은 부분을 바르게 고치고, 문장을 따라 쓰세요.

문장
고쳐쓰기

 <u>오랫만에</u> 동물원에 오니까 재미있다. <u>오래동안</u> 놀다 가자.

						∨	동	물	원	에	∨	오	니	까	∨
재	미	있	다	.				∨	놀	다	∨	가			
자	.														

 힌트 '오랜만'은 '어떤 일이 있은 때로부터 긴 시간이 지난 뒤.'라는 뜻이고, '오랫동안'은 '시간상으로 썩 긴 동안.'이라는 뜻이에요.

똑똑한 하루 글쓰기 마무리

내 생각 쓰기로 하루 마무리

● 다음에서 겪은 일 한 가지를 골라 인물, 사건, 배경이 잘 드러나도록 문장으로 정리하여 쓰세요.

인물	선주, 동생	민호, 유진
사건	열심히 응원을 하고, 좋아하는 선수에게 사인도 받았다.	산에 오르다가 민호가 발을 삐끗하여 발목을 다쳤다.
배경	일요일, 야구장	토요일, 뒷산

힌트 누가, 언제, 어디에서, 무엇을 하였는지 자연스럽게 어울리는 내용을 생각해 봐요.

인물을 자세하게 설명해서 쓰기

> **기찬**
> '그는 성격이 밝고 유쾌한 데다가 잘 생기기까지 했다.'

> **달래**
> 인물 설명이구나. 알라딘인가?

> **기찬**
> 아니, 누가 봐도 나잖아!

이야기를 꾸며 쓸 때에는 이야기를 읽는 사람들이 인물이 어떤 사람인지 잘 이해할 수 있도록 인물을 자세하게 설명해 주는 것이 좋답니다.

이해하기 쉽게 인물을 자세하게 설명해서 써라!

이야기는 읽는 사람을 생각하며 써야 해요.

겪은 일을 이야기로 바꾸어 쓸 때에는

읽는 사람이 잘 이해할 수 있도록 인물을 자세하게 설명하여 써요.

◉ 그림에 맞는 퍼즐 모양을 찾아 ◯표를 하고, 이야기를 구성하는 내용 중 무엇에 해당하는지 알아보아요.

판판은 대나무의 잎을 아주 좋아하는 판다이다.

인물을 자세하게 설명하는 방법을 생각하며 문장을 따라 쓰세요.

| 판 | 판 | 은 | V | 대 | 나 | 무 | 의 | V | 잎 | 을 | V | 아 |
| 주 | V | 좋 | 아 | 하 | 는 | V | 판 | 다 | 이 | 다 | . | |

인물을 자세하게 설명해서 쓰기

● 다음 이야기를 읽고, [㉠]에 들어갈 인물을 자세히 설명하는 글을 써 보세요.

설아

설아는 긴 얼굴과 곱슬머리를 가진 내 친구이다. 나의 단짝이기도 한 설아는 노래를 참 잘 부른다.

우리 반이 합창 대회를 준비하던 어느 날이었다. 설아는 다른 날과 다르게 좀처럼 노래에 집중하지 못했다. 바로 구불구불하게 흘러내린 곱슬머리 때문이었다.

주희는 며칠 전에 전학을 왔다. 축구를 잘해서 축구 선수가 되는 것이 꿈이라고 했다. 말이 없는 편이지만 말할 때에는 엉뚱하면서도 재미있게 말해서 분위기를 밝게 만들어 주는 친구였다.

어제도 주희의 말에 우리가 손뼉을 치며 크게 웃은 일이 있었다.

주희

석진

나는 학생회장으로 뽑히지 못해서 아쉬웠지만 새 학생회장으로 뽑힌 석진이를 진심으로 축하해 주었다.

㉠

이런 석진이를 친구들은 참 좋아했다.

어휘 풀이

▼**곱슬머리** 고불고불하게 말려 있는 머리털. 또는 그런 머리털을 가진 사람.

　　예 동생은 곱슬머리여서 머리숱이 더 많아 보인다.

▼**전학**|구를 전 轉, 배울 학 學| 다니던 학교에서 다른 학교로 옮겨 가서 배움.

　　예 내 짝이 전학을 간다고 해서 나는 하루 종일 슬펐다.

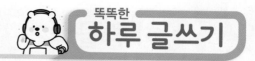

▶ 정답 및 해설 10쪽

낱말 쓰기

 다음 인물의 생김새를 보고, 빈칸에 알맞은 낱말을 보기 에서 각각 골라 쓰세요.

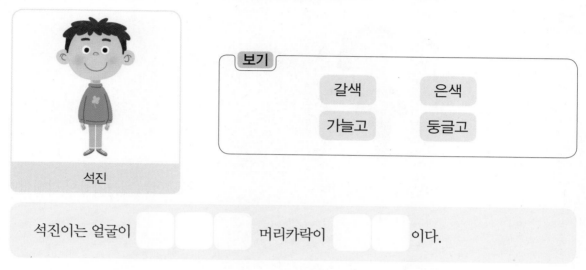

보기

| 갈색 | 은색 |
| 가늘고 | 둥글고 |

석진이는 얼굴이 ☐☐☐ 머리카락이 ☐☐ 이다.

문장 쓰기

 다음 보기 의 말을 모두 이용하여 석진이의 성격을 한 문장으로 쓰세요.

보기

| 강한 | 밝고 | 봉사 | 활달 | 정신도 |

석진이의 성격은 ☐☐☐ 하다. 또 ☐☐☐☐☐

☐☐ 친구이다.

한 편 쓰기

 1과 2에서 답한 내용을 바탕으로 ㉠에 들어갈 인물을 설명하는 글을 완성하세요.

	❶석	진	이	는	∨	얼	굴	이	∨				∨
					∨					.	❷성	격	은	∨
		∨					.	또	∨			∨	
		∨			∨								

▶ 정답 및 해설 10쪽

1
낱말
고쳐쓰기

다음 문장의 밑줄 그은 낱말을 각각 바르게 고쳐 쓰세요.

설아는 <u>꼽슬머리</u>이다.
↓
(1) ☐ ☐ ☐ ☐

석진이는 <u>머리가락</u>이 갈색이다.
↓
(2) ☐ ☐ ☐ ☐

2
문장
고쳐쓰기

다음 여자아이의 말에서 밑줄 그은 부분을 바르게 고치고, 문장을 따라 쓰세요.

주희는 엉뚱하면서도 재미있게 말해서 분위기를 <u>발께</u> 만들어 주는 친구예요.

주	희	는	∨	엉	뚱	하	면	서	도	∨	재	미
있	게	∨	말	해	서	∨	분	위	기	를	∨		∨
만	들	어	∨	주	는	∨	친	구	예	요	.	

힌트 '발께'는 '밝게'를 소리 나는 대로 쓴 것이에요.
ㄹ 받침은 뒤에 자음자가 오면 [ㄱ]으로 소리 나요. 하지만
자음자 중에서도 뒤에 'ㄱ'이 오면 [ㄹ]로 소리 나요.

● 인물을 자세하게 설명하며 이야기를 쓰려고 해요. 보기 에서 알맞은 내용을 두 가지 골라 빈칸에 쓰세요.

학생회장 선거

오늘은 학생회장 선거가 있는 날이다. 여러 친구들이 학생회장이 되려고 후보로 나왔다.

첫 번째 후보는 김종현이다. 종현이는 크고 맑은 눈을 가졌다. 항상 친구들에게 친절하고 고운 말을 사용하여 인기가 많다.

두 번째 후보는 정민숙이다. 민숙이는

보기

키가 크고 운동을 잘한다.

키가 작고 눈, 코, 입이 큼직큼직하다.

또 신중하고 차분해서 실수를 잘 하지 않는다.

또 성격이 호탕해서 어떤 일이든 시원시원하게 처리한다.

 힌트 생김새와 성격에서 한 가지씩 골라 쓴다면 모두 답이 될 수 있어요.

일어난 일의 한 부분 바꾸어 쓰기

일어난 일의 한 부분을 재미있게 바꾸어 써라!

겪은 일을 이야기로 바꾸어 쓸 때에는

일어난 일의 한 부분을 다양한 방법으로 바꾸어 쓸 수 있어요.

대화 글을 많이 넣어 쓰거나 인물의 이름을 바꾸면

이야기를 더 재미있게 쓸 수 있답니다.

◉ 일어난 일의 한 부분을 바꾸어 쓰는 방법에 맞게 빈칸에 알맞은 말을 쓰고, 퍼즐판에서 찾아 ◯표를 하세요.

일어난 일의 한 부분을 ❶ ☐☐ 한 방법으로 바꾸어 쓸 수 있어요.

❷ ☐☐☐ 을 많이 넣어 써요.

2 주

별	명	다	양
소	시	과	대
일	요	특	화
이	름	징	글

인물의 ❸ ☐☐ 을 바꾸어 써요.

3일 일어난 일의 한 부분 바꾸어 쓰기

◉ 다음에서 일어난 일을 살펴보고, 대화 글을 넣어 일어난 일의 한 부분을 재미있게 바꾸어 쓰세요.

지난 주말에 시골에 계신 할아버지 댁에 놀러 갔다. 동생과 놀다가 할아버지 댁 앞에 있는 널따란 포도밭에서 ▽싱싱한 포도를 통째로 땄다. 그때 어떤 할머니께서 오시더니 왜 남의 포도를 따느냐며 야단치셨다.

저녁이 되어 이웃집 할머니께 이야기를 들은 할아버지께서는 다른 사람이 애써 기른 ▽작물을 함부로 따면 안 된다고 말씀해 주셨다.

나는 부끄럽고 죄송해서 눈물이 날 것 같았다.

🐭 **어휘 풀이**

▽**싱싱한** 시들거나 상하지 않고 생기가 있는. 예 싱싱한 재료로 음식을 만들면 더 맛있다.

▽**작물** |지을 작 作, 만물 물 物| 논밭에 심어 가꾸는 곡식이나 채소.
예 선생님께서 학교 텃밭에 토마토, 가지 같은 작물을 심고 가꾸셨다.

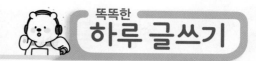
낱말 쓰기

1 단계 다음 내용을 대화 글로 바꾸어 쓸 때, 빈칸에 알맞은 낱말을 쓰세요.

> 그때 어떤 할머니께서 오시더니 왜 남의 포도를 따느냐며 야단치셨다.

> 그때 어떤 할머니께서 빠르게 다가오셨다.
> "예끼, 이놈들아! 왜 남의 ㅍ ㄷ 를 따고 그러냐?"

문장 쓰기

2 단계 다음에서 할아버지께서 말씀해 주신 내용을 대화 글로 바꾸고, '나'의 이름도 지어 쓰세요.

> 할아버지께서는 다른 사람이 애써 기른 작물을 함부로 따면 안 된다고 말씀해 주셨다.

" 　　　 아/야, 　 　 　 　 　 　 　 　 　 　

　 　 　 　 　 　 　 　 　 안 된단다."

한 편 쓰기

3 단계 **1**과 **2**에서 완성한 문장을 넣어 일어난 일의 한 부분을 바꾸어 써 보세요.

> 그때 어떤 할머니께서 빠르게 다가오셨다.
>
> ❶ "＿＿＿＿＿＿＿＿＿＿＿＿＿＿＿＿＿＿＿＿＿＿＿＿＿＿＿"
>
> 저녁이 되어 이웃집 할머니께 이야기를 들은 할아버지께서는
>
> ❷ "＿＿＿＿＿＿＿＿＿＿＿＿＿＿＿＿＿＿＿＿＿＿＿＿＿＿＿
>
> ＿＿＿＿＿＿＿＿＿＿＿＿＿＿＿＿＿＿＿＿＿＿＿＿＿＿＿"
>
> 하고 말씀하셨다.

▶ 정답 및 해설 11쪽

1
낱말
고쳐쓰기

다음 밑줄 그은 낱말을 바르게 고쳐 쓰세요.

넓다란 포도밭
↓

[   ] 포도밭

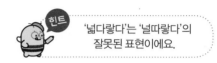

힌트 '넓다랗다'는 '널따랗다'의
잘못된 표현이에요.

2
문장
고쳐쓰기

다음 기찬이의 말에서 밑줄 그은 부분을 바르게 고치고, 문장을 따라 쓰세요.

밤톨이가 포도를 통채로
따더니 통채로 먹어 치웠어.

밤	톨	이	가	V	포	도	를	V				V
따	더	니	V				V	먹	어	V	치	웠	어	.

힌트 '채'는 '이미 있는 상태 그대로 있다는 뜻을 나타내는 말.'이에요.
'통' 뒤에는 '그대로', 또는 '전부'의 뜻을 더하는 '째'를 붙여 써요.

● 다음 글에 나오는 인물의 이름을 바꾸고, 대화 글을 넣어 이야기를 바꾸어 써 보세요.

오늘 새 친구가 전학을 왔다. 전학 온 친구의 이름은 박승민이었다. 선생님께서는 승민이를 내 옆자리에 앉게 하셨다. 나는 승민이에게 내 이름은 최유진이라고 말해 주었다.

학교를 마치고 집에 오는 길에 승민이를 다시 만났다. 알고 보니 지난주에 골목 끝에 있는 집으로 이사 온 집이 승민이네였던 것이다.

오늘 새 친구가 전학을 왔다. 선생님께서 전학 온 친구에게 자기소개를 시키셨다.

"안녕하세요? 저는 충주에서 온 ❶ _____(이)라고 합니다."
선생님께서는 새 친구를 내 옆자리에 앉게 하셨다. 나는 새 친구에게 내 소개를 하였다.

"❷ _____"

학교를 마치고 집에 오는 길에 다시 그 아이를 만났다.

"어? ❸ _____ 아/야, 여기는 웬일이니?"

"응, ❹ _____"

"그랬구나. 그럼 우리 앞으로 친하게 지낼 수 있겠다."

힌트   이야기가 흥미롭도록 인물의 이름을 자신에게 친숙하거나 좋아하는 이름으로 바꾸어 봐요. 그리고 대화 글을 많이 넣어서 이야기를 더 재미있게 꾸며 써 봐요.

일어난 일의 차례를 바꾸어 쓰기

일어난 일의 차례를 바꾸어 쓰거나 사건을 지어 써라!

일어난 일의 차례를 바꾸는 것으로

이야기의 시작 부분을 재미있게 쓸 수 있어요.

또 일어나지 않은 사건을 조금 지어서 쓴다거나

사건이 일어난 기간을 늘이거나 줄이는 방법으로

이야기를 더 재미있게 쓸 수도 있답니다.

● 사다리 타기를 하여 도착한 곳의 낱말을 따라 쓰며, 일어난 일의 차례를 바꾸어 쓰거나 사건을 지어 쓰는 방법을 알아보아요.

일어난 일의 ○○를 바꾸는 것으로 이야기의 시작 부분을 재미있게 쓸 수 있어요.

일어나지 않은 사건을 조금 ○○○ 써요.

사건이 일어난 ○○을 늘이거나 줄일 수도 있어요.

차 례

지 어 서

기 간

일어난 일의 차례를 바꾸어 쓰기

◉ 다음 그림과 일어난 일을 잘 살펴보고, 일어난 일의 차례를 재미있게 바꾸어 써 보세요.

기찬이가 자다가 꿈을 꾸었다.

기찬이가 공부를 하는데, 밖에서 귀신 소리가 들렸다.

긴 머리를 늘어뜨린 귀신이 방문을 열고 들어왔다.

기찬이는 귀신 꿈에 놀라 잠에서 깼다.

이튿날 어머니께서 간식으로 옥수수를 삶아 주셨다.

기찬이는 옥수수수염을 보자 귀신인 줄 알고 기절하였다.

어휘 풀이

▼**늘어뜨린** 사물의 한쪽 끝을 아래로 처지게 한. 예) 긴 꼬리를 늘어뜨린 원숭이가 앉아 있다.

▼**기절**|기운 기 氣, 끊을 절 絶| 두려움, 놀람, 충격 따위로 한동안 정신을 잃음.

  예) 성호는 길을 걷다 전봇대에 부딪쳐 기절할 뻔했다.

낱말 쓰기

1 단계 다음 글봇의 말을 읽고, 일이 일어난 차례를 생각하며 빈칸에 알맞은 낱말을 쓰세요.

기찬이가 귀신 꿈을 꾼 일이 먼저 일어난 일이지만, 기찬이가 옥수수수염을 보고 기절한 일을 먼저 쓰면 그 까닭이 궁금해져서 내용이 더 재미있을 거야.

기찬이가 겪은 일
기찬이는 긴 머리를 늘어뜨린 무서운 귀신 꿈을 꾸었다. 이튿날 어머니께서 옥수수를 삶아 주셨는데, 기찬이는 옥수수에 달린 옥수수수염을 보자 귀신인 줄 알고 기절하였다.

➡

일어난 일의 차례를 바꾸어 쓰기
기찬이는 ☐☐☐☐☐ 이 달린 옥수수를 보고 기절하였다. 알고 보니 전날 밤 기찬이가 긴 머리를 늘어뜨린 귀신 꿈을 꾸었던 것이었다.

문장 쓰기

2 단계 **1**에서 차례를 바꾸어 본 내용에 판판이 어떤 사건을 지어 넣을지 정리하여 쓰세요.

나는 기찬이가 무서운 영화를 보고 잤다는 내용을 지어서 쓰고 싶어. 그래서 기찬이가 긴 머리를 늘어뜨린 귀신 꿈을 꾼 것으로 말이야.

알고 보니 전날 밤 기찬이가 ☐☐☐☐☐ 를 보고 자서 ☐ ☐☐☐☐☐☐☐☐☐☐ 을 꾸었던 것이었다.

한 편 쓰기

3 단계 **1**과 **2**에서 완성한 문장을 넣어 일어난 일의 차례를 바꾸고, 사건도 지어 써 보세요.

기찬이는 ❶ _____ 기절하였다.

알고 보니 ❷ _____

_____

똑똑한 하루 글쓰기 고쳐쓰기

▶정답 및 해설 12쪽

1 낱말 고쳐쓰기

다음 밑줄 그은 낱말을 바르게 고쳐 쓰려고 해요. 알맞은 낱말을 보기 에서 각각 골라 쓰세요.

보기

삶아   삶마   이튿날   이틀날

이튿날 어머니께서 간식으로 옥수수를 삶마 주셨다.

(1) 이 튼 날 → ☐ ☐ ☐

(2) 살 마 → ☐ ☐

2 문장 고쳐쓰기

다음 친구가 쓴 글 에서 밑줄 그은 부분을 바르게 고치고, 문장을 따라 쓰세요.

친구가 쓴 글

알고 보니 전날 밤 기찬이가 긴 머리를 늘어 뜨린 귀신 꿈을 꾸었던 것이다.

↓

알	고	V	보	니	V	전	날	V	밤	V	기	찬
이	가	V	긴	V	머	리	를	V				V
귀	신	V	꿈	을	V	꾸	었	던	V	것	이	다	.

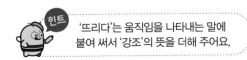

힌트 '뜨리다'는 움직임을 나타내는 말에 붙여 써서 '강조'의 뜻을 더해 주어요.

▶ 정답 및 해설 12쪽

◉ '나'에게 일어난 일의 차례를 바꾸어 이야기를 쓰려고 해요. 보기 에서 알맞은 내용을 골라 이야기를 완성하세요.

　　나는 매일 빠뜨리지 않고 달리기 연습을 열심히 했다. 달리기 대회에 나간 날, 나는 일 등으로 잘 달리다가 아쉽게 넘어지고 말았다. 하지만 곧바로 일어나 최선을 다해 다시 달렸다.

❶ _____.

일어나서 다시 달려도 꼴찌를 할 것 같았지만 포기하고 싶지 않았다. 호석이는 지난 일주일을 떠올렸다.

❷ _____

시간이 날 때마다 운동장을 달리고 또 달렸었다.

❸ _____.

보기

호석이는 일어나 최선을 다해 다시 달리기 시작했다

달리기 대회에서 일 등으로 달리던 호석이가 넘어졌다

호석이는 매일 빠뜨리지 않고 달리기 연습을 열심히 했다

힌트 　달리기 대회에서 넘어진 일을 이야기의 시작 부분으로
바꾸어 쓰며 이야기를 더 재미있게 만들어 봐요.

겪은 일을 이야기로 바꾸어 쓰기

겪은 일을 떠올려 이야기로 바꾸어 써라!

먼저 기억에 남는 일 가운데에서 이야기로 바꾸어 쓸 사건을 골라요.

이야기를 쓸 때에는 대화 글을 넣어 쓰거나 인물의 이름을 바꾸어 보아요.

일의 차례를 바꾸거나 사건을 지어 써서 이야기로 바꿀 수도 있어요.

마지막으로 이야기에 어울리는 제목도 붙여 봐요.

◉ 겪은 일을 이야기로 바꾸어 쓰는 방법에 맞게 빈칸에 알맞은 말을 따라 쓰세요.

- 기억에 남는 일 가운데에서 이야기로 바꾸어 쓸 **사 건** 고르기
- **대 화 글** 을 넣어 쓰거나 인물의 **이 름** 바꾸어 쓰기
- 일의 **차 례** 를 바꾸거나 사건을 지어 쓰기
- 이야기에 어울리는 **제 목** 붙이기

2주

◉ 위에서 따라 쓴 말을 모두 찾아 색칠해 보고, 어떤 모양이 나오는지 알아보아요.

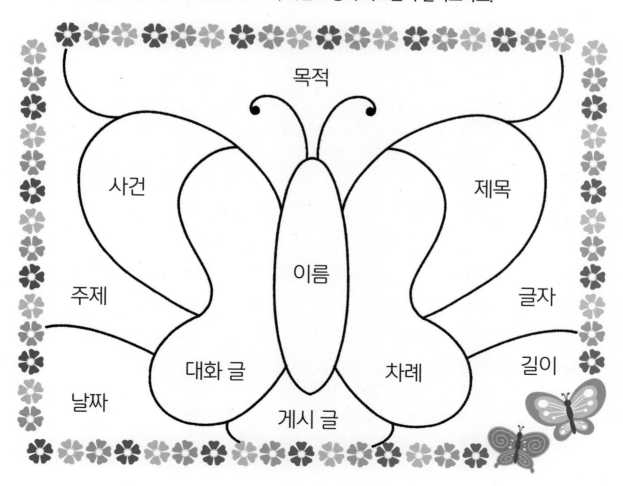

5일 겪은 일을 이야기로 바꾸어 쓰기

● 다음 대화를 읽고, 기찬이가 겪은 일을 이야기로 바꾸어 써 보세요.

▼**맹활약**|사나울 맹 猛, 살 활 活, 뛸 약 躍| 눈부실 정도로 활발히 활동함.
　예 정민이의 맹활약으로 우리 반이 축구 시합에서 이겼다.
▼**수비수**|지킬 수 守, 갖출 비 備, 손 수 手| 단체 경기에서, 기본적으로 수비를 담당하는 선수.
　예 우리 편은 공격수보다 수비수를 많이 배치하여 점수를 빼앗기지 않도록 했다.

낱말 쓰기

1 단계

다음 내용을 대화 글로 바꾸어 쓰려고 해요. 빈칸에 알맞은 낱말을 보기 에서 골라 쓰세요.

> 옆 반과의 축구 시합에서 기찬이가 공을 잡자 친구들이 힘내라며 응원해 주었다.

보기
힘들어   힘내라

> 기찬이네 반이 옆 반과 축구 시합을 하였다. 기찬이가 공을 잡자 친구들이 응원해 주었다.
> "기찬아, ☐☐☐!"

문장 쓰기

2 단계

다음 그림을 보고, 지어 쓴 내용에 어울리는 말을 보기 에서 골라 빈칸에 쓰세요.

| 일어난 일 | 지어 쓴 내용 |

보기
수비수를 멋지게 따돌리고
축구공이 왼발에 빗맞아서

기찬이는 ☐☐☐☐ ☐☐☐☐☐ 골을 넣었다.

한 편 쓰기

3 단계

1과 2에서 완성한 문장을 넣어 기찬이가 겪은 일을 이야기로 바꾸어 쓰세요.

> 기찬이네 반이 옆 반과 축구 시합을 하였다. 기찬이가 공을 잡자 친구들이 응원해 주었다.
>
> ❶ _____
>
> 기찬이는 ❷ _____
> "우아, 기찬이 정말 멋지다."
> "기찬이 덕분에 우리 반이 이겼어."
> 친구들의 칭찬에 기찬이는 하늘을 날아갈 것 같이 기뻤고, 자신이 정말 자랑스러웠다.

▶ 정답 및 해설 13쪽

1
낱말
고쳐쓰기

다음 낱말의 뜻을 보고, 문장의 밑줄 그은 낱말을 각각 바르게 고쳐 쓰세요.

> 왠지   왜 그런지 모르게. 또는 뚜렷한 이유도 없이.
>
> 웬일   어찌 된 일. 의외의 뜻을 나타냄.

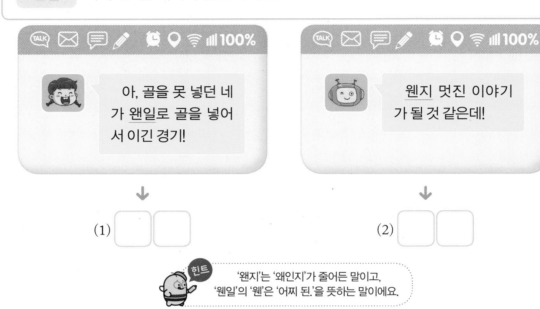

아, 골을 못 넣던 네가 왠일로 골을 넣어서 이긴 경기!

웬지 멋진 이야기가 될 것 같은데!

↓   ↓

(1) ☐ ☐   (2) ☐ ☐

> 힌트   '왠지'는 '왜인지'가 줄어든 말이고,
> '웬일'의 '웬'은 '어찌 된.'을 뜻하는 말이에요.

2
문장
고쳐쓰기

다음 친구가 쓴 글 에서 밑줄 그은 부분을 바르게 고치고, 문장을 따라 쓰세요.

친구가 쓴 글

오늘 축구 시합에서 기찬이가 멩활략을 하자 친구들이 멋지다고 친찬해 주었다.

↓

오	늘	∨	축	구	∨	시	합	에	서	∨	기	찬
이	가	∨				을	∨	하	자	∨	친	구	들
이	∨	멋	지	다	고	∨				∨	주	었	다	.

> 힌트   '맹–'은 '정도가 매우 심한'의
> 뜻을 더해 주는 말이에요.

● **다음에 나타난 겪은 일을 이야기로 바꾸어 쓰고, 어울리는 제목도 붙여 쓰세요.**

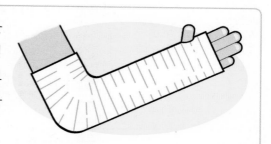

    나는 일주일 전에 공원에서 동생에게 자전거 타는 법을 가르쳐 주었다. 그런데 잠깐 한눈을 판 사이에 동생이 넘어져서 팔을 다치고 말았다. 오늘 오른손에 깁스를 하고 글씨를 쓰는 동생을 보니 몹시 미안해졌다. 동생을 도와주고 싶었지만 동생은 나에게 괜찮다고 말해 주었다.

 힌트   나오는 인물, 대화 글, 일이 일어난 차례, 지어 쓰고 싶은 사건 등을 생각하여 이야기로 바꾸어 써 보세요. 이야기를 다 쓴 뒤에는 어울리는 제목도 붙여 봐요.

다음 만화를 보며 속담의 뜻을 알아보고, 상황에 맞게 속담을 써 보세요.

손바닥으로 하늘 가리기

2주

속담의 뜻을 알아봐요!

손바닥으로 하늘 가리기

이 속담은 "불리한 상황에 맞추어 즉각 그 자리에서 결정하거나 처리함."이라는 뜻이랍니다.

이제 이 속담을 넣어 상황에 맞게 써 볼까요?

시험은 잘 봤니?

그럼요. 이것 보세요.

" ☐ ☐ ☐ ☐ ☐ ☐ ☐ ☐ ☐ ☐ "라더니, 이러면 엄마가 모를 줄 알았니?

● 뜻에 알맞은 낱말을 찾아서 판판이 판다 친구들을 탈출시키는 길을 선으로 이어 보세요.

여러 사람이 모여 소란스럽게 떠드는 소리가 자꾸 나다.

중얼거리다

웅성거리다

출발

다니던 학교에서 다른 학교로 옮겨 가서 배움.

입학

전학

논밭에 심어 가꾸는 곡식이나 채소.

작물

식물

두려움, 놀람, 충격 따위로 한동안 정신을 잃음.

기적

기절

ZOO

출구

 창의   2주에 쓰인 **낱말과 그 뜻**을 익히며 판다 친구들을 탈출시키는 길을 찾아봅니다.

● 지수와 동생이 포도를 따고 고추를 딴 후 할아버지 댁에 도착할 수 있도록 빈칸에 공통으로 들어갈 숫자를 넣어 코딩 명령을 완성하세요.

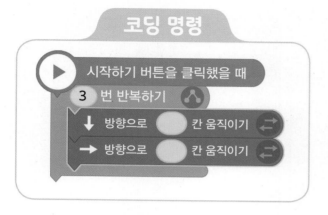

지수와 동생은 제시된 화살표 방향으로 몇 칸을 움직여야 포도밭, 고추밭, 할아버지 댁 순서로 갈 수 있을까요?

2 주

 코딩 지수와 동생이 원하는 일을 하려면 어떤 코딩 명령이 필요한지 생각하며 **코딩 명령을 완성**해 봅니다.

◌ 친구들은 기찬이의 어머니께 옥수수수염에 대한 설명을 듣고 있어요. 그림을 보며 옥수수수염이 어떤 것인지 알아보고, 숨은 그림도 찾아보세요.

숨은 그림: 스마트폰, 자전거, 아령, 종이배, 옷걸이

 융합 국어+과학   **옥수수수염**에 대하여 알아보고, 숨은 그림도 모두 찾아봅니다.

● 기찬이네 반은 이번 주에 다시 옆 반과 축구 시합을 했어요. 다음 내용을 읽고, 기찬이네 반과 옆 반의 점수는 각각 몇 점인지 ⬚ 안에 숫자로 쓰세요.

> 기찬이는 축구 시합에서 세 골을 넣었습니다. 기찬이네 반은 기찬이가 넣은 골의 네 배를 넣었습니다. 옆 반은 기찬이네 반이 넣은 골의 절반을 넣었습니다.

2
주

 ⬚ : ⬚

기찬이네 반   옆 반

 융합
국어+수학
친구들이 축구를 하는 모습을 떠올리며 (한 자리 수)×(한 자리 수) **곱셈**을 해 보고, (두 자리 수)÷(한 자리 수) **나눗셈**도 해 봅니다.

1 인물, 사건, 배경에 해당하는 내용을 각각 골라 선으로 이으세요.

(1) 인물 · · ① 일요일, 놀이공원

(2) 사건 · · ② 민정, 승호, 기우

(3) 배경 · · ③ 길을 잃어버렸다.

[2~3] 다음 글을 읽고, 물음에 답하세요.

(가) 설아는 긴 얼굴과 ㉠꼽쓸머리를 가진 내 친구이다. 나의 단짝이기도 한 설아는 노래를 참 잘 부른다.

우리 반이 합창 대회를 준비하던 어느 날이었다. 설아는 다른 날과 다르게 좀처럼 노래에 집중하지 못했다. 바로 구불구불하게 흘러내린 ㉡곱슬머리 때문이었다.

(나) 주희는 며칠 전에 전학을 왔다. 축구를 잘해서 축구 선수가 되는 것이 꿈이라고 했다. 말이 없는 편이지만 말할 때에는 엉뚱하면서도 재미있게 말해서 분위기를 밝게 만들어 주는 친구였다.

2 이 글에서 설명하는 인물의 특징을 살펴보고, 다음 인물이 누구인지 쓰세요.

(1) (　　　　　) (2) (　　　　　)

3 ㉠과 ㉡ 중에서 바르게 쓴 낱말의 기호를 쓰세요.

(　　　　　)

[4~5] 다음 글을 읽고, 물음에 답하세요.

지난 주말에 시골에 계신 할아버지 댁에 놀러 갔다. 동생과 놀다가 할아버지 댁 앞에 있는 널따란 포도밭에서 싱싱한 포도를 통째로 땄다. 그때 어떤 할머니께서 오시더니 ㉠왜 남의 포도를 따느냐며 야단치셨다.

저녁이 되어 이웃집 할머니께 이야기를 들은 할아버지께서는 ㉡다른 사람이 애써 기른 작물을 함부로 따면 안 된다고 말씀해 주셨다.

나는 부끄럽고 죄송해서 눈물이 날 것 같았다.

4 ㉠을 대화 글로 알맞게 바꾼 것에 ◯표를 하세요.

(1) "포도가 먹고 싶었나 보구나." (　　　　)

(2) "예끼, 이놈들아! 왜 남의 포도를 따고 그러냐?" (　　　　)

글쓰기

5 ㉡을 대화 글을 써서 재미있게 바꾸어 쓸 때, 빈칸에 알맞을 말을 넣어 문장을 완성하고 따라 쓰세요.

"	지	수	야,	다른 ∨
사	람	이	∨애써	∨
기	른	∨		∨
		∨		∨
안	∨	된	단	다. "

[6~8] 다음은 기찬이에게 일어난 일을 정리한 것이에요. 잘 읽고, 물음에 답하세요.

❶ 기찬이가 자다가 꿈을 꾸었다.

❷ 기찬이가 공부를 하는데, 밖에서 귀신 소리가 들렸다.

❸ 긴 머리를 늘어뜨린 귀신이 방문을 열고 들어왔다.

❹ 기찬이는 귀신 꿈에 놀라 잠에서 깼다.

❺ 이튿날 어머니께서 간식으로 옥수수를 삶아 주셨다.

❻ 기찬이는 옥수수수염을 보자 귀신인 줄 알고 기절하였다.

6 기찬이가 옥수수를 보고 기절한 까닭은 무엇인지 빈칸에 알맞은 말을 쓰세요.

• 옥수수수염을 보고 전날 밤에 꿈에서 본 ☐ ☐ 인 줄 알았기 때문이다.

7 다음은 기찬이에게 일어난 일을 어떤 차례대로 바꾸어 쓴 것인지 번호를 쓰세요.

> 어머니께서 간식으로 옥수수를 삶아 주셨다. 기찬이는 옥수수수염이 달린 옥수수를 보고 기절하였다. 알고 보니 전날 밤 기찬이가 긴 머리를 늘어뜨린 귀신 꿈을 꾸었던 것이었다.

(   ) → (   ) → ❶
→ (   ) → (   ) → ❹

8 ❺에서 잘못 쓴 낱말을 찾아 바르게 고쳐 쓰세요.

(   ) → (   )

[9~10] 다음은 겪은 일을 이야기로 바꾸어 쓴 글이에요. 잘 읽고, 물음에 답하세요.

> 기찬이네 반이 옆 반과 축구 시합을 하였다. 기찬이가 공을 잡자 친구들이 응원해 주었다.
> "기찬아, 힘내라!"
> 기찬이는 수비수를 멋지게 따돌리고 골을 넣었다.
> "우아, 기찬이 정말 멋지다."
> "기찬이 덕분에 우리 반이 이겼어."
> 친구들의 칭찬에 기찬이는 하늘을 날아갈 것 같이 기뻤고, 자신이 정말 자랑스러웠다.

글쓰기

9 이 이야기에서 일어난 사건을 정리할 때, 빈칸에 알맞은 말을 넣어 문장을 완성하고 따라 쓰세요.

옆	∨	반	과	∨			∨
		을	∨	하	였	는	데	∨
기	찬	이	가	∨		을	∨
넣	어	서	∨	이	겼	다	.

10 이 이야기의 제목으로 알맞은 것에 ○표를 하세요.

(1) 수비수 기찬이   (   )

(2) 기찬이의 맹활약   (   )

(3) 아쉬웠던 축구 시합   (   )

3_주 3주에는 무엇을 공부할까? ❶

기자의 보도 내용을 쓸 때 인터뷰나 통계 자료 등을 활용하여 쓰면 좋아.

그리고 기자의 마무리 부분의 원고를 쓰면 되는 거야.

자, 이제 뉴스 원고를 써 봐.

흥, 그럼 너희들을 뉴스 속으로 보내 줄 테니 직접 뉴스를 만들어 봐!

지이잉~

야! 당장 꺼내지 못 해?

흥~

뉴스 원고를 써 보자!

1-1 진행자의 도입 원고에 대한 내용으로 바른 것에 ○표를 하세요.

(1) 중요한 내용을 강조한다. ( )

(2) 기자가 보도를 한 뒤에 나온다. ( )

(3) 뉴스에서 보도할 내용을 유도하거나 전체를 요약해 안내한다. ( )

1-2 다음 내용은 뉴스에서 어떤 내용에 해당하는지 알맞은 것을 골라 따라 쓰세요.

진 행 자 의 도 입　　　기 자 의 보 도

▶ 정답 및 해설 16쪽

2-1 기자의 보도 내용을 쓰는 방법으로 알맞지 <u>않은</u> 것에 ×표를 하세요.

(1) 인터뷰나 통계 자료를 활용하는 것이 좋다.　　　　(　　　)

(2) 시청자에게 전하고 싶은 사건이나 정보를 전달한다.　(　　　)

(3) 보도 전체 내용을 요약하거나 핵심 내용을 강조한다.　(　　　)

(4) 가치 있고 중요한 사건이나 정보에 대한 내용을 쓴다.　(　　　)

2-2 다음 뉴스에서 기자의 보도 내용을 어떻게 썼는지 보기 에서 알맞은 말을 골라 빈칸에 각각 쓰세요.

기자: 군것질과 관련하여 ○○초등학교 보건 선생님과 인터뷰를 해 보았습니다.

성장기 학생들은 균형 잡힌 식단을 통해서 여러 영양소를 골고루 섭취해야 하는데 길거리에서 고열량의 군것질거리를 사 먹으면서 끼니를 거르는 경우도 있어 많이 걱정됩니다.

보기

시청자　　　인터뷰　　　감동　　　이해

　　　　　　를 이용해 　　　　　가 쉽게 　　　　할 수 있게 하였다.

진행자의 도입 쓰기

○○시에 새롭게 직업 체험관 문 열어. 주민들 환영.

안녕하세요. 술술TV의 술술이입니다.
이번 주에는 뉴스 원고 쓰기를 배울 거예요.
학교나 마을 등 주변 소식을 전하는 뉴스의
원고를 써 봐요. 자, 시작해 볼까요?

달래
기찬아, 너 뉴스 진
행자가 꿈이었지?

밤톨
맞다. 너에게 꼭 맞
는 공부니까 너에
게 모두 맡길게.

기찬
됐어. 내 꿈은 야구
선수로 바뀌었어.

I   ☺   입력

진행자의 도입 원고를 써라!

뉴스란 사람들에게 중요하거나 흥미로운 사건이나 정보를 때에 알맞게 보도하는 것으로,

텔레비전이나 라디오 등의 방송을 통해 보도돼요.

뉴스는 진행자의 도입, 기자의 보도, 기자의 마무리로 구성돼요.

진행자의 도입 내용을 쓸 때에는,

뉴스에서 보도할 내용을 유도하거나 전체를 요약해 안내하면 돼요.

● 뉴스의 개념과 진행자의 도입 내용을 쓰는 방법에 맞게 빈칸에 알맞은 말을 쓰고, 퍼즐판에서 찾아
○표를 하세요.

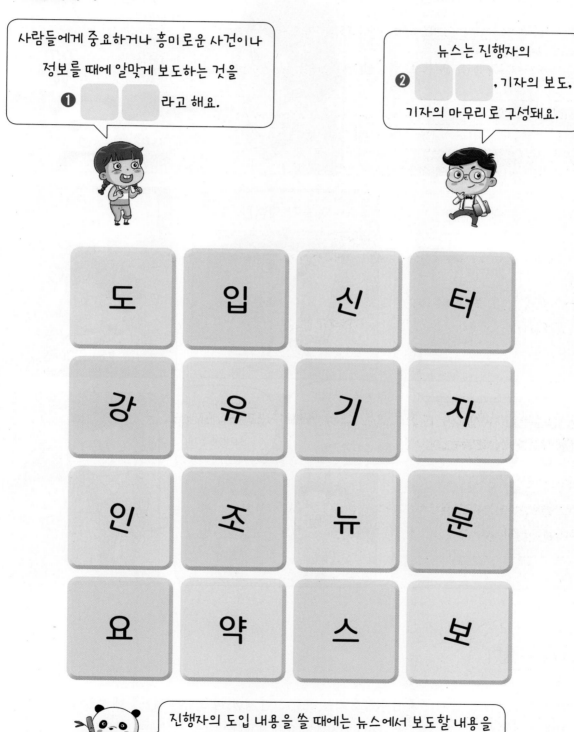

사람들에게 중요하거나 흥미로운 사건이나
정보를 때에 알맞게 보도하는 것을
❶ ☐ ☐ 라고 해요.

뉴스는 진행자의
❷ ☐ ☐ , 기자의 보도,
기자의 마무리로 구성돼요.

도	입	신	터
강	유	기	자
인	조	뉴	문
요	약	스	보

진행자의 도입 내용을 쓸 때에는 뉴스에서 보도할 내용을
유도하거나 전체를 ❸ ☐ ☐ 해 안내해요.

진행자의 도입 쓰기

◉ 친구들이 다음의 내용을 취재하여 뉴스를 만들려고 해요. 진행자의 도입 내용을 쓰세요.

🐹 어휘 풀이

▼ **체험** |몸 체 體, 시험 험 驗|　자기가 몸소 겪음. 또는 그런 경험. 예 소방관 체험을 해 보았다.

▼ **취재** |취할 취 取, 재목 재 材|　작품이나 기사에 필요한 재료나 내용을 조사하여 얻음.

　　예 많은 기자들이 대회에서 우승한 선수를 취재하러 왔다.

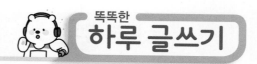
낱말 쓰기

1 단계

다음 대화를 보고 밤톨이와 달래가 알리려는 내용은 무엇인지 빈칸에 알맞은 말을 쓰세요.

우리 마을에 직업 체험장이 생겼다는 소식을 친구들에게 뉴스로 알려 주면 좋겠다.

그래. 내가 기자가 되어서 자세한 내용을 취재해 볼게.

우리 마을에 ☐ ☐ ☐ ☐ ☐

이 생겼다는 소식

문장 쓰기

2 단계

1에서 알리려는 내용을 유도하는 말을 보기 에서 골라 각각 쓰세요.

보기

다양한 직업에 대해   직업 체험장이 생겼다

❶ 여러분, ☐ ☐ ☐ ☐ ☐ ☐ ☐ 궁금하신 점이 많죠?

❷ 우리 마을에 ☐ ☐ ☐ ☐ ☐ ☐ ☐ ☐ 는 소식을 달래 기자가 취재했습니다.

한 편 쓰기

3 단계

2에서 쓴 문장을 넣어 진행자의 도입 내용을 쓰세요.

❶여	러	분,			V		V
	V			V		V	? V
❷우	리	V 마	을	에 V		V	V
			V		V 달	래 V 기	자
가	V 취	재	했	습	니	다.	

 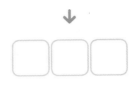

똑똑한
하루 글쓰기 고쳐쓰기

▶ 정답 및 해설 16쪽

1 다음 문장의 밑줄 그은 낱말을 바르게 고쳐 쓰세요.

낱말
고쳐쓰기

소방관님께서 하시는 일이 <u>이러케</u> 힘들 줄은 몰랐다.

↓

☐ ☐ ☐

힌트 'ㅎ' 받침이 뒤에 오는 글자의 'ㄱ'과 합쳐지면 [ㅋ]으로 소리 나요. 하지만 쓸 때에는 각각의 자음자를 그대로 써 주어야 해요.

2 다음 친구가 쓴 글 의 밑줄 그은 낱말과 바꿔 쓸 수 있는 말을 보기 에서 골라 각각 바꿔 쓰고,

문장
고쳐쓰기

문장을 따라 써 보세요.

친구가 쓴 글

도우미 선생님께서는 오늘 여러 가지 직업을 <u>체험</u>해 보고 우리들의 꿈을 키우라고 하셨다.

보기

금일 지금 지나가고 있는 이날.   명일 오늘의 바로 다음 날.

시험 재능이나 실력 따위를 일정한 절차에 따라 검사하고 평가하는 일.

경험 자신이 실제로 해 보거나 겪어 봄. 또는 거기서 얻은 지식이나 기능.

↓

도	우	미	V	선	생	님	께	서	는	V			V
여	러	V	가	지	V	직	업	을	V			해	V
보	고	V	우	리	들	의	V	꿈	을	V	키	우	라
고	V	하	셨	다	.								

● 다음 그림을 보고 뉴스 원고를 쓸 때, 보기 에서 알맞은 내용을 골라 써넣어 진행자의 도입 내용을 완성하세요.

보기

재미있게 학교생활을 할 수 있는 방법이 무엇인지 알아보겠습니다.

어떻게 하면 학교 앞 교통사고를 예방할 수 있는지 알아보겠습니다.

오늘 학교 앞에서 길을 건너던 학생이 차에 부딪힐 뻔한 일이 있었습니다.

정민주 기자가 취재했습니다.

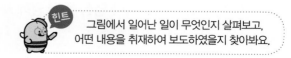

힌트 그림에서 일어난 일이 무엇인지 살펴보고,
어떤 내용을 취재하여 보도하였을지 찾아봐요.

2일 기자의 보도 쓰기 ①

밤톨
오늘 도서관에서 떠들다가 꾸중을 들었어.

기찬
그 내용을 오늘 뉴스거리로 정하자.

글봇
쯧쯧, 가치 있고 중요한 사건이나 정보가 뉴스가 되는 거라고.

오늘은 도서관 소식을 전하는 뉴스 원고를 써 볼게요. 그런데 만약 뉴스를 보는데 중요하지 않은 내용이고 이해하기도 어렵다면 뉴스를 볼 사람이 없겠죠? 어떻게 기자의 보도 내용을 쓸지 알아봐요.

I   ☺   입력

시청자에게 전달하고 싶은 기자의 보도 원고를 써라!

기자는 사건이나 정보를 취재하고 그 내용을 뉴스로 보도하는 사람이에요.

기자의 보도 부분에서는 시청자에게 전하고 싶은 사건이나 정보를 전달해요.

가치 있고 중요한 사건이나 정보를 골라 자세하고 이해하기 쉽게 보도 내용을 써요.

이해를 돕는 사진이나 영상 등을 함께 보여 주며 보도하면 좋아요.

● 사다리 타기를 하여 도착한 곳의 낱말을 따라 쓰며, 기자의 보도 내용을 쓰는 방법을 알아보아요.

시청자에게 전하고 싶은 사건이나 ○○를 전달해요.

○○ 있고 중요한 사건이나 정보를 골라요.

자세하고 ○○하기 쉽게 보도 내용을 써요.

이 해

정 보

가 치

● 다음은 수지가 마을에 새로 생긴 도서관을 취재하여 정리한 내용입니다. 정리한 내용을 잘 보고 기자의 보도 내용을 쓰세요.

개관일

20○○년 4월 25일

특징

• 대출과 반납은 회원증을 사용하여 무인 단말기에서 이용
• 매주 독서 토론 개최

이용 방법

• 천재마을 주민이면 누구나 무료로 이용 가능
• 1인 2권까지 대출 가능

운영 시간

• 월요일 ~ 금요일:
　　오전 9시 ~ 오후 6시
• 토요일: 오전 9시 ~ 오후 1시
• 일요일·공휴일: 휴관

어휘 풀이

▼**토론**|칠 토 討, 논의할 론 論|　어떤 문제에 대하여 여러 사람이 각각 의견을 말하여 논의함.
　　㉸ 봉사 활동을 두고 열띤 토론을 벌였다.

▼**휴관**|쉴 휴 休, 객사 관 館|　도서관, 미술관, 영화관 따위가 일반에 대한 공개 업무를 하루 또는 한동안 쉼. ㉸ 오늘은 영화관이 휴관이니까 공원에 가자.

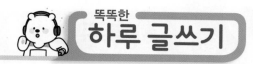
낱말 쓰기

1단계

다음 중 뉴스에서 보도할 만한, 가치 있고 중요한 사건이나 정보는 무엇인지 빈칸에 들어갈 알맞은 낱말을 보기 에서 골라 쓰세요.

보기

도서관   피시방

마을 ☐ ☐ ☐ 이 개관한 일

문장 쓰기

2단계

1에 대한 중요한 정보가 무엇일지 보기 에서 알맞은 내용을 골라 빈칸에 쓰세요.

보기

무료로 이용이 가능하고   무인 단말기로 운영되며

❶ 새로운 도서관은 ☐ ☐ ☐ ☐ ☐ ☐ ☐ ☐ ,
매주 독서 토론을 개최합니다.

❷ 천재마을 주민이면 누구나 ☐ ☐ ☐ ☐ ☐ ☐ ☐ ☐
☐ ☐ , 일요일과 공휴일은 이용할 수 없습니다.

한 편 쓰기

3단계

2에서 쓴 문장을 넣어 기자의 보도 내용을 자세하게 쓰세요.

마을 도서관이 개관하였습니다. 새로운 도서관은 ❶ _____

_____

천재마을 주민이면 누구나 ❷ _____

_____

1 다음 보기 에서 밑줄 그은 낱말 대신 바꿔 쓰기에 알맞은 낱말을 골라 바꿔 써 보세요.

낱말
고쳐쓰기

보기

| 개봉 | 새 영화를 처음으로 상영함. |
| 개관 | 도서관, 영화관, 박물관, 회관 따위의 기관이 설비를 차려 놓고 처음으로 문을 엶. 또는 그렇게 함. |

지난주에 우리 마을에 새로운 도서관이 문을 열었다.

→ 지난주에 우리 마을에 새로운 도서관이 □□ 하였다.

힌트 새로운 도서관이 처음으로 문을 연 것이므로 어떤 말로 바꾸어야 하는지 생각해 봐요.

2 다음 친구가 쓴 글 의 밑줄 그은 부분을 바르게 고치고 문장을 따라 쓰세요.

문장
고쳐쓰기

친구가 쓴 글

천재마을 주민이면 누구나 무료로 이용이 가능하고, 일요일와 공휴일은 이용할 수 업습니다.

↓

천	재	마	을	V	주	민	이	면	V	누	구	나	V
무	료	로	V	이	용	이	V	가	능	하	고	,	
			V	공	휴	일	은	V	이	용	할	V	수	V
				.									

● 그림을 잘 살펴보고, 기자의 보도 내용을 완성하세요.

이번에 청주에서 열린 ❶ _____에서 천재초등

학교의 이다솜 학생이 우승을, ❷ _____ 준우승을

차지하였습니다. 우승을 한 이다솜 학생은 "❸ _____

_____"라고 우승 소감을 말하였습니다.

그림에서 어떤 대회가 열렸는지, 준우승자는
누구인지, 우승자의 소감은 무엇인지 찾아 써 보세요.

3일 기자의 보도 쓰기 ②

인터뷰나 통계 자료를 활용하여 기자의 보도 원고를 써라!

기자의 보도 내용에서 내용을 잘 전달하기 위해서는

인터뷰나 통계 자료를 활용하는 것이 좋아요.

알맞은 인터뷰나 통계 자료를 사용하면 뉴스를 보는

시청자가 사건이나 정보를 더 쉽게 이해할 수 있어요.

▶ 정답 및 해설 18쪽

● 기자의 보도 내용을 쓰는 방법을 생각하며, 빈칸에 알맞은 말을 따라 쓰세요.

기자의 보도 내용에 **인 터 뷰** 나 **통 계 자 료** 를 사용하면
시 청 자 가 **사 건** 이나 **정 보** 를 더 쉽게 **이 해** 할 수 있어요.

● 위에서 따라 쓴 말을 모두 찾아 색칠해 보고, 어떤 모양이 나오는지 알아보아요.

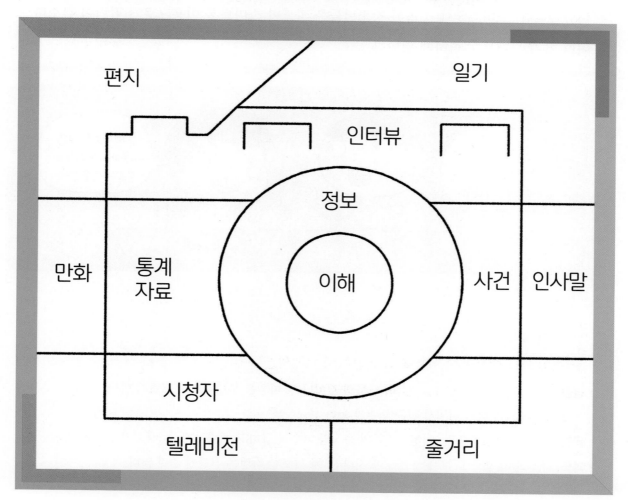

기자의 보도 쓰기 ②

○ 다음 뉴스 원고의 일부분을 읽고, 인터뷰나 통계 자료를 활용해 기자의 보도 내용을 더 써 보세요.

청소년 스마트폰 중독 더 심해진다

[진행자의 도입]

요즘 교실이나 집에서 청소년들이 스마트폰을 사용하는 모습을 자주 볼 수 있는데요. 청소년의 스마트폰 중독이 심각하다고 합니다. 밤톨 기자가 취재했습니다.

[기자의 보도]

지난 25일 통계청에서는 지난해 기준 10대 청소년의 일주일 평균▼ 인터넷 이용 시간이 급격히▼ 늘었다고 밝혔습니다.

청소년의 인터넷 이용 시간이 증가하면서 10대 청소년의 스마트폰 중독 사례도 크게 늘어났습니다. 스마트폰에 중독된 청소년들은 과도한▼ 스마트폰 이용으로 조절력이 감소하여 여러 가지 문제를 경험하게 됩니다.

어휘 풀이

▼**평균**|평평할 평 平, 고를 균 均| 여러 사물의 질이나 양 따위를 통일적으로 고르게 한 것.
  ㉘ 이번에는 시험이 쉬워서 평균 점수가 높다.

▼**급격**|급할 급 急, 과격할 격 激|**히** 변화의 움직임 따위가 급하고 격렬하게. ㉘ 사고가 급격히 감소했다.

▼**과도**|지날 과 過, 법도 도 度|**한** 정도에 지나친. ㉘ 과도한 걱정은 건강에 좋지 않다.

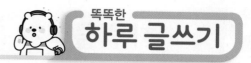
낱말 쓰기

1
단계

다음은 무엇을 참고하여 작성한 기자의 보도 내용인지 빈칸에 알맞은 말을 쓰세요.

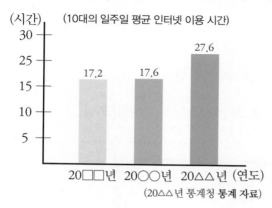

통계청의 ㅌ ㄱ ㅈ ㄹ 에

따르면 10대의 일주일 평균 인터넷 이용
시간은 20〇〇년 17.6시간에서 20△△년
27.6시간으로 10시간이 증가하였습니다.

문장 쓰기

2
단계

다음 보기 에서 인터뷰 대상으로 가장 알맞은 사람을 골라 빈칸에 쓰세요.

보기

> 청소년 보호 담당 공무원

> 길에서 만난 어떤 중학생

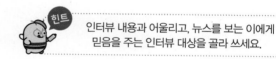
힌트
인터뷰 내용과 어울리고, 뉴스를 보는 이에게
믿음을 주는 인터뷰 대상을 골라 쓰세요.

〔   〕 은 "미디어를 이용하

는 나이가 낮아지기 시작하면서 초등학생 때부터 스마트폰을 이용하는 시간이 늘어나기 시
작한 것 같다."라고 하였습니다.

한 편 쓰기

3
단계

1과 2에서 쓴 문장을 넣어 기자의 보도 내용을 완성하세요.

> ❶ _____
>
> 10대의 일주일 평균 인터넷 이용 시간은 20〇〇년 17.6시간에서 20△△년 27.6시간
> 으로 10시간이 증가하였습니다.
>
> 이에 대하여 ❷ _____
>
> _____
>
> _____라고 하였습니다.

1 다음 문장의 밑줄 그은 낱말을 뜻이 비슷한 다른 낱말로 바꿔 쓰려고 해요. 보기 에서 뜻이 비
낱말
고쳐쓰기 숫한 낱말을 골라 바꿔 써 보세요.

보기

짐작하면 사정이나 형편 따위를 어림잡아 헤아리면.

의하면 무엇에 의거하거나 기초하면. 또는 무엇으로 말미암으면.

↓

통계 자료에 _____ 10대의 일주일 평균 인터넷 이용 시간은 10시간이 증가

하였습니다.

2 다음 친구가 쓴 글 에서 밑줄 그은 말을 이해하기 쉬운 말로 바꿔 쓰려고 해요. 보기 에서 쉬
문장
고쳐쓰기 운 말을 골라 고치고 문장을 따라 쓰세요.

친구가 쓴 글

과도한 스마트폰 이용으로 조절력이 감소하여
여러 가지 문제를 경험하게 됩니다.

보기

지나친   부족한

늘어나서   줄어들어

↓

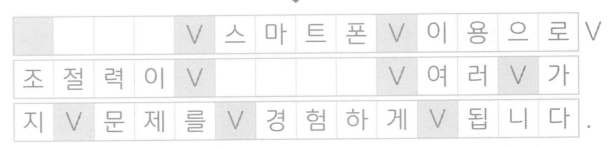

 '과도한'은 '정도에 지나친.', '감소'는 '양이나 수치가 줆. 또는 양이나 수치를
줄임.'을 뜻하는 말이에요. 시청자가 이해하기 쉬운 말로 고쳐 보세요.

◉ **보기** 에서 알맞은 인터뷰 내용을 골라 넣어 기자의 보도 내용을 완성하세요.

> **보기**
>
> 무엇보다 아이들이 좋은 독서 습관을 가지게 되어 기쁩니다.
>
> 제가 우리 학교에서 책을 가장 많이 읽었다는 것이 기뻐요.

[기자의 보도]

오늘 대강당에서 '우리 학교 독서왕 대회' 시상식이 있었습니다. 독서왕 시상은 개인 부문과 학급 부문으로 나누어 진행되었습니다.

먼저 개인 부문 독서왕은 6학년 김지수 학생이 차지하였고, 학급 부문 단체상은 5학년 3반이 차지했습니다. 김지수 학생과 5학년 3반 담임 선생님의 소감을 들어 보겠습니다.

〈인터뷰〉

김지수(6학년): ❶ _____

앞으로도 많은 책을 읽고, 배운 것을 생활에서 실천하도록 노력할 거예요.

5학년 3반 담임 선생님: 아이들에게 숙제를 내 주면서 인터넷보다는 책에서 자료를 찾아보

도록 권유했습니다. ❷ _____

_____

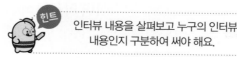

힌트 인터뷰 내용을 살펴보고 누구의 인터뷰 내용인지 구분하여 써야 해요.

기자의 마무리 쓰기

기자의 마무리 원고를 써라!

기자는 보도를 마친 후에 뉴스의 내용을 끝맺는 말을 해요.

보도를 마친 기자의 마무리 원고를 써 봐요.

보도 전체 내용을 요약하거나 핵심 내용을 강조하며 마치면 돼요.

● 그림에 맞는 퍼즐 모양을 찾아 ○표를 하고, 뉴스 원고의 내용 중 어떤 부분에 대한 설명인지 알아 보아요.

기자의
보도

진행자의
도입

보도 전체
내용을
요약하거나
핵심 내용을
강조한다.

기자의
마무리

3
주

 기자의 마무리 내용을 쓰는 방법을 생각하며 다음 문장을 따라 쓰세요.

천	재	초	등	학	교	V	학	생	들	의	V	봉
사	V	활	동	V	소	식	을	V	전	해	V	드	렸
습	니	다	.		지	금	까	지	V	달	래	V	기	자
였	습	니	다	.								

기자의 마무리 쓰기

● 다음 내용을 바탕으로 ㉠ 안에 들어갈 기자의 마무리 내용을 쓰세요.

진행자의 도입

최근 불규칙한 수면, 변화된 식습관 등으로 소아 비만이 증가하고 있다고 합니다. 더 자세한 소식을 알아보겠습니다.

기자의 보도

2015년 이후 20세 미만 비만 환자가 두 배 넘게 늘었다고 합니다. 소아 비만은 성인병의 원인이 될 수 있기 때문에 식습관을 조절하는 것이 중요합니다.
〈인터뷰〉소아과 의사: 소아 비만을 예방하려면 식사를 할 때 먹는 야채의 양을 늘리고, 즉석 식품이나 햄버거 같은 패스트푸드를 끊는 것이 좋습니다.

가자의 마무리

㉠

🐭 **어휘 풀이**

▼**식습관**|먹을 식 食, 익힐 습 習, 버릇 관 慣|　음식을 취하거나 먹는 과정에서 저절로 익혀진 행동 방식.
　예 편식을 하는 정호의 식습관 때문에 부모님께서 걱정을 많이 하신다.

▼**성인병**|이룰 성 成, 사람 인 人, 병들 병 病|　보통 40대 이후에 문제가 되는 병을 통틀어 이르는 말.
　예 성인병을 예방하려면 꾸준한 운동과 올바른 식습관이 중요하다.

▼**패스트푸드**　주문하면 즉시 완성되어 나오는 식품을 통틀어 이르는 말.
　예 햄버거, 치킨, 피자 등은 대표적인 패스트푸드이다.

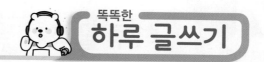
낱말 쓰기

다음 그림을 보고, 빈칸에 알맞은 말을 써서 기자의 보도 내용을 요약하세요.

소아비만이 큰 문제인가 봐.

소아 ㅂ ㅁ 이 학생들의 건강을 해치고 있습니다.

문장 쓰기

기자가 강조할 핵심 내용에 알맞은 말을 **보기** 에서 골라 빈칸에 쓰세요.

보기

다양한 햄버거를 시키는 일   올바른 식습관을 가지는 것

건강을 위해

이 무엇보다 중요하겠습니다.

한 편 쓰기

1 과 **2** 에서 쓴 문장을 넣어 ㉠에 들어갈 기자의 마무리 내용을 완성하세요.

	❶소	아	∨	비	만	이	∨			∨
	∨			∨				.	❷건	강
을	∨	위	해	∨			∨			∨
		∨		∨					∨	중	요
하	겠	습	니	다	.					

1 낱말 고쳐쓰기

다음 밑줄 그은 낱말을 바르게 고쳐 빈칸에 쓰세요.

식사를 할 때 먹는 야채의 양을 늘였다.

고무줄을 길게 늘렸다.

(1)

(2)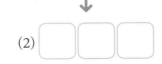

 힌트
'늘리다'는 수나 양을 많게 하는 것이고, '늘이다'는 길이를 길게 하는 것이에요.

2 문장 고쳐쓰기

친구가 고쳐 쓴 문장 과 같이 빈칸에 알맞은 말을 넣어 두 문장을 합치고 따라 쓰세요.

친구가 고쳐 쓴 문장

동생은 일찍 잠이 들었습니다. 왜냐하면 온종일 뛰어 놀았기 때문입니다.

온종일 뛰어 놀았기 때문에 동생은 일찍 잠이 들었습니다.

식습관을 조절하는 것이 중요합니다. 왜냐하면 소아 비만은 성인병의 원인이 될 수 있기 때문입니다.

소	아	∨	비	만	은	∨	성	인	병	의	∨	원
인	이	∨	될	∨	수	∨	있	기	∨			∨
식	습	관	을	∨	조	절	하	는	∨	것	이	∨	중
요	합	니	다	.								

● 기자의 마무리에 들어가는 내용을 생각하며 보기 에서 알맞은 내용을 골라 뉴스 원고를 완성하세요.

> **보기**
>
> 오늘은 천재초등학교에서 텃밭 가꾸기 행사가 열렸다고 하는데요. 정지우 기자가 취재했습니다.
>
> 자연을 접하기 힘든 도시 아이들에게 학교 텃밭은 소중한 생태 교육의 장이 되고 있습니다. 정지우 기자였습니다.

[기자의 보도]

네, 여기는 운동장 한편에 마련된 텃밭입니다. 텃밭 가꾸기 행사에는 6학년 학생 서른 명이 참가하였습니다. 행사에 참가한 친구들이 고추, 토마토, 가지, 고구마를 심고 있습니다. 텃밭 가꾸기 행사에 참가한 친구와 선생님의 말을 들어 보겠습니다.

〈인터뷰〉

6학년 김은지 학생: 지금까지 식물이 자라는 모습을 과학책에서만 봤는데, 이렇게 눈으로 직접 볼 수 있고, 여름에 작물도 먹을 수 있다고 하니까 정말 기대돼요.

6학년 4반 선생님: 도시에 있는 아이들은 자연을 관찰하기 힘들잖아요. 그런데 이렇게 텃밭을 가꾸면 아이들 정서에도 좋고 공부에도 많은 도움이 될 것 같아요.

[기자의 마무리]

힌트 기자의 마무리에서는 보도 전체 내용을 요약하거나 핵심 내용을 강조하며 마치면 돼요.

뉴스 원고 쓰기

뉴스 원고를 써라!

진행자의 도입, 기자의 보도, 기자의 마무리 순서로 뉴스 원고를 작성해 봐요.

진행자의 도입에서는 보도할 내용을 유도하거나 전체를 요약해 안내해요.

기자의 보도에서는 시청자에게 전하고 싶은 사건이나 정보를 인터뷰나

통계 자료를 활용하여 전달해요.

기자의 마무리에서는 보도 전체 내용을 요약하거나 핵심 내용을 강조해요.

▶ 정답 및 해설 20쪽

● 사다리 타기를 하여 도착한 곳의 낱말을 따라 쓰며, 뉴스 원고를 쓰는 방법을 알아보아요.

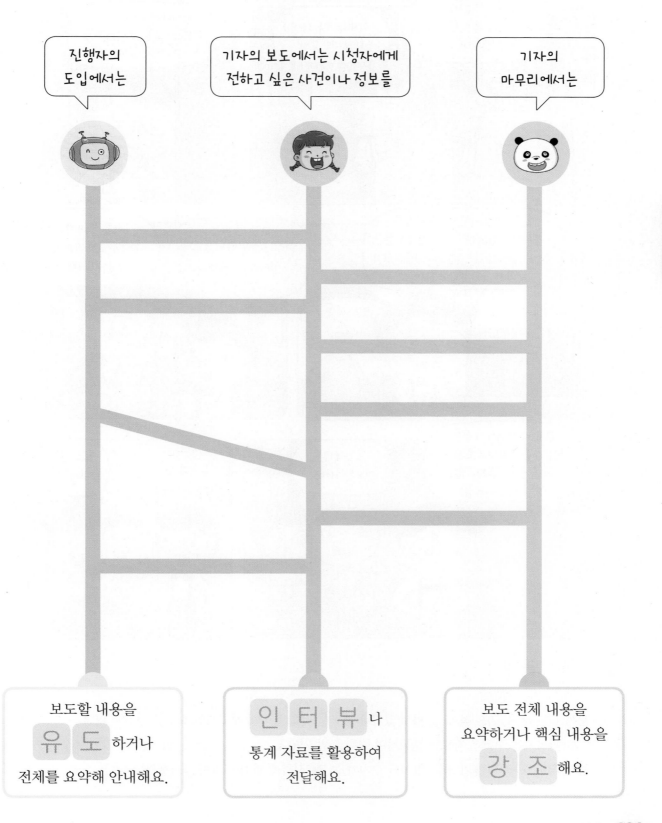

진행자의
도입에서는

기자의 보도에서는 시청자에게
전하고 싶은 사건이나 정보를

기자의
마무리에서는

보도할 내용을

유 도 하거나

전체를 요약해 안내해요.

인 터 뷰 나

통계 자료를 활용하여
전달해요.

보도 전체 내용을
요약하거나 핵심 내용을

강 조 해요.

● 다음 만화를 읽고, 뉴스 원고를 쓰세요.

🐭 어휘 풀이

▼ **분석** | 나눌 분 分, 가를 석 析 |　얽혀 있거나 복잡한 것을 풀어서 개별적인 요소나 성질로 나눔.

　　예 과학자는 수많은 자료를 <u>분석</u>하여 규칙을 발견했다.

▼ **증가** | 더할 증 增, 더할 가 加 |　양이나 수치가 늚. 예 시골에 빈집이 많이 <u>증가</u>했다고 한다.

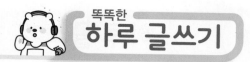
낱말 쓰기

1 **단계**

다음 그림을 보고, 빈칸에 알맞은 말을 써넣어 진행자의 도입 부분을 쓰세요.

학교에서 '어린이 ☐ ☐ ☐ ☐ 교육'이 열려 기찬

기자가 취재했습니다.

문장 쓰기

2 **단계**

다음 빈칸에 알맞은 말을 보기 에서 골라 써넣어 기자의 보도 부분을 쓰세요.

> **보기**
>
> 교통사고가 크게 증가   교통사고가 줄어들 것

① 최근 5년간 어린이 교통사고를 분석한 결과, 어린이들이 등교하는 3월에는 그러지 않은

2월보다 ☐ ☐ ☐ ☐ ☐ ☐ ☐ ☐ ☐ ☐ 했다고 합니다.

② 교장 선생님께서는 안전 교육을 통해 학생들의 ☐ ☐ ☐ ☐ ☐

☐ ☐ ☐ ☐ 이라 생각한다고 말씀하셨습니다.

한 편 쓰기

3 **단계**

기자의 마무리 내용에 쓰고 싶은 내용을 보기 에서 한 가지 골라 쓰세요.

> **보기**
>
> 어린이 교통 안전 교육은 어린이들을 더욱 안전하게 지켜 줄 것입니다.
>
> 학교에서 열리는 어린이 교통 안전 교육으로 어린이 교통사고가 줄어들길 바랍니다.

_____

_____ 지금까지 기찬 기자였습니다.

1
낱말
고쳐쓰기

다음 문장의 밑줄 그은 낱말을 뜻이 비슷한 다른 낱말로 바꿔 쓸 때에, 빈칸에 알맞은 낱말을 보기 에서 골라 쓰세요.

> **보기**
>
> **연기** 정해진 기한이 뒤로 물려져서 늘려짐.
>
> **개최** 모임이나 회의 따위를 조직적으로 계획하여 엶.

내일 학교에서 '어린이 교통 안전 교육'이 □□ 된대.

'열리다'는 '모임이나 회의 따위가 시작된다.'는 뜻을 가지고 있어요.

2
문장
고쳐쓰기

다음 달래의 말에서 밑줄 그은 부분의 띄어쓰기를 바르게 고치고 따라 쓰세요.

교육에 참여하지 못 한 친구들은 온라인으로 교육 내용을 볼수있다고 하니 많은 참여 바랍니다.

교	육	에	V				V			V	친
구	들	은	V	온	라	인	으	로	V	교	육	V	내
용	을	V		V		V				V	하	니	V
많	은	V	참	여	V	바	랍	니	다	.	

● 뉴스 원고를 쓰는 방법을 생각하며 다음 내용에 맞추어 뉴스 원고를 써 보세요.

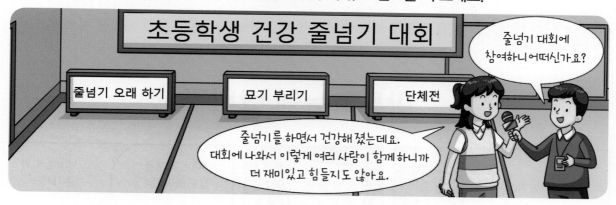

진행자의 도입	
기자의 보도	
기자의 마무리	

 기자의 보도 부분을 쓸 때 시청자가 쉽게 이해할 수 있도록 통계 자료나 인터뷰를 넣어 보세요.

생활 어휘 다음 만화를 보며 속담의 뜻을 알아보고, 상황에 맞게 속담을 써 보세요.

마른하늘에 날벼락

으앙~!

수지야, 동생을 잘 돌봐야지. 울리면 어떡하니?
아니, 자기 혼자서……

쳇, 엄마는 동생만 좋아하고.

아야!

수지야, 미안해.

아니, 마른하늘에 날벼락도 아니고 오늘 자꾸 왜 이런담.

수지야, 날씨도 좋은데 놀이터에 가서 놀자.

그러자. 안 그래도 오늘 기분이 안 좋았거든.

▼ **마른하늘** 비나 눈이 오지 않는 맑게 갠 하늘.

3주

속담의 뜻을 알아봐요!

마른하늘에 날벼락

이 속담은 "<u>뜻하지 않은 상황에서</u> <u>뜻밖에 입는 재난을 이르는 말.</u>"입니다.

이제 이 속담을 넣어 상황에 맞게 써 볼까요?

"☐☐☐☐☐☐ ☐☐"이라더니 걸어가다가 이게 웬일이람.

◉ 수지가 새로 생긴 마을 도서관에 책을 찾으러 갔어요. 다음 낱말의 뜻에 알맞은 책 다섯 권을 책꽂이에서 모두 찾아 ◯표를 하세요.

- 사람들에게 중요하거나 흥미로운 사건이나 정보를 때에 알맞게 보도하는 것.
- 여러 사물의 질이나 양 따위를 통일적으로 고르게 한 것.
- 변화의 움직임 따위가 급하고 격렬하게.
- 도서관, 미술관, 영화관 따위가 일반에 대한 공개 업무를 하루 또는 한동안 쉼.
- 정도에 지나친.

 창의   3주에 쓰인 **낱말과 그 뜻**을 익히며 도서관에서 필요한 책을 찾아봅니다.

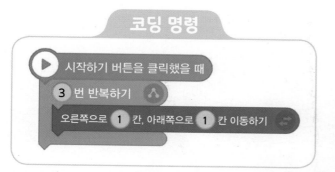

◉ 다음 직업 체험장에서 게임의 코딩 명령을 따라가면 어떤 직업을 체험할 수 있는지 모두 쓰세요.

코딩 명령

▶ 시작하기 버튼을 클릭했을 때
3 번 반복하기
오른쪽으로 1 칸, 아래쪽으로 1 칸 이동하기

코딩 명령 풀이
➡ 방향으로 한 칸 이동한 다음, ⬇ 방향으로 한 칸 이동하는 것을 세 번 반복해요.

 코딩 명령을 따라가면 선생님, ☐☐☐ , ☐☐☐ 이 하는 일을 체험해 볼 수 있어요.

 코딩 코딩 명령을 따라 이동하면 어떤 직업 체험관을 지나게 되는지 알아봅니다.

◎ 은지는 친구들과 함께 학교에서 텃밭을 가꾸었습니다. 텃밭에서 얻을 수 있는 것에 모두 ○표를 하세요.

고구마

조개

소금

미역

가지

고추

토마토

융합
국어+과학

4일차에 나왔던 텃밭 가꾸기 행사 뉴스의 내용을 떠올려 보며, **학교 텃밭에 심고 가꿔 수확할 수 있는 것**에는 어떤 것들이 있는지 골라 봅니다.

● 승우는 청소년의 스마트폰 중독이 심각하다는 뉴스를 보고 자신이 일주일 동안 스마트폰을 사용한 시간을 기록해 보았습니다. 승우가 하루 평균 스마트폰을 이용한 시간은 몇 시간인지 계산해 보세요.

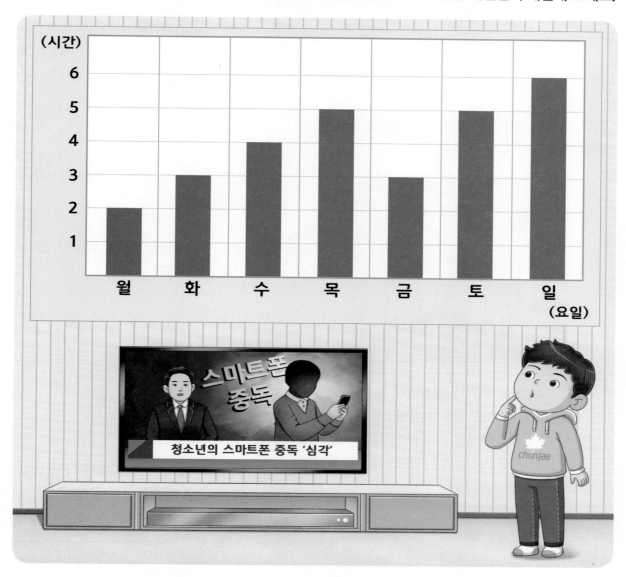

승우가 일주일 동안 스마트폰을 사용한 시간은 모두 ☐ 시간입니다. 일주일은 모두 ☐ 일이므로, ☐ 을 ☐ 로 나누어 보면, 승우의 하루 평균 스마트폰 이용 시간은 ☐ 시간입니다.

 융합
국어+수학   스마트폰을 사용한 **시간의 합**을 구하고, **요일의 개수로 나눗셈을 하여 평균**을 구하여 봅니다.

1 사람들에게 중요하거나 흥미로운 사건이나 정보를 때에 알맞게 보도하는 것을 무엇이라고 하는지 골라 ○표를 하세요.

> 일기, 편지, 뉴스

2 다음 그림을 보고, 진행자의 도입으로 알맞은 말을 한 친구는 누구인지 쓰세요.

> 소라: 우리 마을에 직업 체험장이 문을 열었다는 소식을 ○○ 기자가 취재했습니다.
> 현우: 직업 체험장에서 친구들이 자신의 꿈을 찾아 키울 수 있기를 바랍니다. 이상 ○○ 기자였습니다.

( )

3 다음 도서관 취재 내용을 보고, 보도할 내용으로 알맞은 것에 ○표를 하세요.

> **[운영 시간]**
> • 월요일 ~ 금요일: 오전 9시 ~ 오후 6시
> • 토요일 : 오전 9시 ~ 오후 1시
> • 일요일·공휴일: 휴관

(1) 토요일은 저녁에만 엽니다. ( )

(2) 일요일과 공휴일은 이용할 수 없습니다. ( )

[4~5] 다음 글을 읽고, 물음에 답하세요.

> [㉠]
>   요즘 교실이나 집에서 청소년들이 스마트폰을 사용하는 모습을 자주 볼 수 있는데요. 청소년의 스마트폰 중독이 심각하다고 합니다. 밤톨 기자가 취재했습니다.
>
> [㉡]
>   지난 25일 통계청에서는 지난해 기준 10대 청소년의 일주일 평균 인터넷 이용 시간이 급격히 늘었다고 밝혔습니다.

4 ㉠과 ㉡에 들어갈 말로 알맞은 것끼리 각각 선으로 이으세요.

(1) ㉠ •   • ① 기자의 보도

(2) ㉡ •   • ② 진행자의 도입

글쓰기

5 이 글에 통계 자료와 함께 다음 내용을 덧붙이려고 해요. 빈칸에 알맞은 말을 보기 에서 골라 문장을 완성하고 따라 쓰세요.

> **보기**
> 증가하였습니다   감소하였습니다

10	대	의	∨	일	주	일	∨
평	균	∨	인	터	넷	∨	이
용	∨	시	간	은	∨	10	시
간	이	∨					

[6~7] 다음 글을 읽고, 물음에 답하세요.

[기자의 보도]

2015년 이후 20세 미만 비만 환자가 두 배 넘게 늘었다고 합니다. 소아 비만은 성인병의 원인이 될 수 있기 때문에 식습관을 조절하는 것이 중요합니다.

〈인터뷰〉

소아과 의사: 소아 비만을 예방하려면 식사를 할 때 먹는 야채의 양을 ⊙늘이고, 즉석 식품이나 햄버거 같은 패스트푸드를 끊는 것이 좋습니다.

[기자의 마무리]

⊙

6 ⊙을 문장의 뜻에 어울리는 낱말로 고쳐 쓰세요.

( )

7 ⊙에 들어가기에 알맞은 내용에 ◯표를 하세요.

(1) 음식을 가려 먹기보다는 무엇이든 잘 먹는 것이 건강에 더 좋습니다. ( )

(2) 소아 비만이 학생들의 건강을 해치지 않도록 올바른 식습관을 가지는 것이 무엇보다 중요하겠습니다. ( )

8 뉴스 원고를 쓰는 차례대로 기호를 쓰세요.

⊙ 기자의 보도
⊙ 기자의 마무리
⊙ 진행자의 도입

( ) → ( ) → ( )

[9~10] 다음 글을 읽고, 물음에 답하세요.

[진행자의 도입]

학교에서 '어린이 교통 안전 교육'이 열려 기찬 기자가 취재했습니다.

[기자의 보도]

최근 5년간 어린이 교통사고를 분석한 결과, 어린이들이 등교하는 3월에는 그러지 않은 2월보다 교통사고가 크게 증가했다고 합니다.

교장 선생님께서는 안전 교육을 통해 학생들의 교통사고가 줄어들 것이라 생각한다고 말씀하셨습니다.

9 기자가 보도를 위해 인터뷰한 사람이 누구인지 찾아 쓰세요.

( )

글쓰기

10 이 뉴스에서 취재한 행사가 무엇인지 빈칸에 알맞은 말을 넣어 기자의 마무리 내용을 완성하고 따라 쓰세요.

					V		V
	V			은	V	어	
린	이	들	을	V	더	욱	V
안	전	하	게	V	지	켜	V
줄	V	것	입	니	다	.	

3주

4주에는
무엇을 공부할까? ❶

글을 고쳐
써 보자!

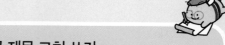

1-1 문단 수준에서 글을 고쳐 쓰는 방법에 대해 알맞게 말한 친구의 이름을 쓰세요.

뒷받침 문장들과 어울리지 않는 중심 문장을 뒷받침 문장들을 대표하도록 고쳐 써야 해.

판판

중심 문장은 절대 고쳐 쓰지 말고, 반드시 뒷받침 문장만 중심 문장에 어울리게 고쳐 써야 해.

기찬

(   )

1-2 다음 글을 읽고, 근거 부분의 중심 문장 ㉠을 알맞게 고쳐 쓴 것에 ○표를 하세요.

주장	책을 많이 읽자.
근거	㉠책을 읽는 데는 시간이 많이 걸립니다. 우리는 책을 통해 모르던 정보들을 새롭게 익힐 수 있습니다. 또한 책을 읽으면 우리가 직접 경험하기 힘든 일들을 간접적으로 체험해 볼 수 있고, 이를 통해 세상을 보는 시야가 넓어집니다.

(1) 책을 읽으면 아는 것이 늘어나고 시야가 넓어집니다.   (   )

(2) 다양한 영상 자료를 살펴보면 원하는 정보를 빨리 찾을 수 있습니다.   (   )

▶정답 및 해설 23쪽

2-1 달래가 설명하는 것은 무엇인지 알맞은 낱말을 따라 쓰세요.

문장을 쓸 때에 서로 어울리는 말과 함께 쓰는 것이야.

수	긍
반	응
호	응

2-2 다음 중 호응이 알맞은 문장에 ○표를 하세요.

(1) 새 자동차는 크기와 속도가 크다.   (   )

(2) 새 자동차는 크기와 속도가 빠르다.   (   )

(3) 새 자동차는 크기가 크고 속도가 빠르다.   (   )

글 제목 고쳐 쓰기

안녕, 친구들~! 이번 주에는 쓴 글을 다시 읽고 고쳐 써 볼 거예요. 우선 글의 제목을 고쳐 써 볼까요?

판판
내가 쓴 글의 제목은 '판판은 대나무의 잎을 좋아한다'야!

달래
'판판은 왜 대나무의 잎을 좋아할까?'로 고쳐 쓰면 좋겠다.

기찬
글 내용과 관련해 궁금증을 불러일으키는 제목이네!

글의 제목을 고쳐 써라!

글을 쓰고 나서 내용과 표현이 알맞도록 다시 쓰는 것을 고쳐쓰기라고 해요.

고쳐쓰기를 할 때에는 글 전체에서 작은 부분의 순서로 살펴보아야 해요.

글 수준에서 글의 제목을 고쳐 쓸 때에는 쓴 글을 전체적으로 읽고,

글쓴이의 생각을 나타내거나 글 내용과 관련해 궁금증을 불러일으키는 제목으로 고쳐 써요.

◉ 글의 제목을 고쳐 쓰는 방법에 맞게 빈칸에 알맞은 말을 쓰고, 퍼즐판에서 찾아 ◯표를 하세요.

글을 쓰고 나서 내용과 표현이 알맞도록 다시 쓰는 것을
❶ ☐☐☐☐ 라고 해요.

고	구	미	궁
쳐	음	악	금
쓰	단	상	증
기	소	생	각

글의 제목을 고쳐 쓸 때에는 글쓴이의 ❷ ☐☐ 을
나타내거나 글 내용과 관련해 ❸ ☐☐☐ 을
불러일으키는 제목으로 고쳐 써요.

1일 글 제목 고쳐 쓰기

○ 다음 제안하는 글을 읽고, 달래와 글봇이 쓴 글의 제목을 알맞게 각각 고쳐 쓰세요.

 일회용 플라스틱 컵과 텀블러

최근 사람들이 카페 등에서 음료를 마실 때 일회용 플라스틱 컵을 많이 사용합니다. 날이 더워질수록 차가운 음료를 많이 마시게 되고, 일회용 플라스틱 컵 사용량도 점점 늘어납니다. 그런데 플라스틱 컵은 오랫동안 썩지 않아 환경 오염을 일으킵니다.

우리 모두 환경을 위해 텀블러를 들고 다니며 사용하면 어떨까요? 텀블러는 한 번 사면 오랜 시간 사용할 수 있기 때문에 일회용 플라스틱 컵 대신 텀블러에 음료를 받아 마시면 환경 오염을 줄일 수 있습니다. 요즈음 텀블러 사용 시 음료 가격을 할인해 주는 캠페인을 벌이는 매장이 늘어나고 있습니다. 환경을 위해 텀블러 사용에 적극 ▼동참합시다.

 외국어를 쓰지 말자

우리 반 누리집에 반 친구들이 글을 많이 올리고, 댓글도 많이 달고 있습니다. 서로 의견을 적극적으로 주고받는 모습이 보기 좋습니다. 그런데 글을 쓴 친구를 비난하거나, 욕설이나 ▼비속어를 섞은 댓글을 다는 친구들이 있습니다.

바르고 고운 말을 사용하여 친구의 글에 댓글을 답시다. 비난하는 말, 욕설, 비속어 등이 섞인 댓글을 보게 되면 글을 쓴 친구의 기분이 좋지 않습니다. 친구를 배려하여 바르고 고운 말로 댓글을 단다면 우리 반 누리집 분위기가 더욱 좋아질 것입니다.

 어휘 풀이

▼ **텀블러** 굽과 손잡이가 없고 바닥이 납작한 큰 잔.

▼ **동참**|같을 동 同, 참여할 참 參| 어떤 모임이나 일에 같이 참가함.
　　예 수재민 돕기 성금 모금에 동참해 주세요.

▼ **비속어**|낮을 비 卑, 풍속 속 俗, 말씀 어 語| 격이 낮고 속된 말.
　　예 선생님께서 비속어를 사용하면 안 된다고 하셨다.

▲ 텀블러

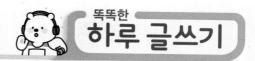

▶정답 및 해설 23쪽

낱말 쓰기

1단계 달래와 글봇의 말을 읽고, 달래와 글봇의 생각으로 알맞은 낱말을 빈칸에 각각 쓰세요.

(1)

텀블러를 사용하면 일회용 플라스틱 컵으로 인한 환경 오염을 줄일 수 있어.

┌─┐┌─┐┌─┐
│ㅌ││ㅂ││ㄹ│ 를 들고 다니며 사용하면 좋겠다.
└─┘└─┘└─┘

(2)

글을 쓴 친구의 기분이 상하지 않도록 바르고 고운 말로 댓글을 달아야 해.

친구들이 바르고 고운 말로 ┌─┐┌─┐ 을 달았으
│ㄷ││ㄱ│
면 좋겠다. └─┘└─┘

4
주

문장 쓰기

2단계 **1**에서 쓴 내용을 바탕으로 보기에서 알맞은 말을 골라 달래와 글봇이 쓴 제안하는 글의 제목을 각각 고쳐 쓰세요.

보기

종이컵을 사용   텀블러를 사용

바르고 고운 말로 댓글을   빠르고 작은 말로 발표를

❶ [   ] 합시다

❷ [   ] 달자

1 낱말 고쳐쓰기

다음 문장의 밑줄 그은 부분을 바르게 고친 낱말을 보기 에서 골라 빈칸에 각각 써 보세요.

> 보기
>
> 까폐　　까페　　플라스틱　　플래스틱

까폐 등에서 음료를 마실 때 프라스틱 컵을 많이 사용합니다.

↓

☐☐ 등에서 음료를 마실 때 ☐☐ ☐☐ 컵을 많이 사용합니다.

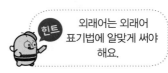
힌트 외래어는 외래어 표기법에 알맞게 써야 해요.

2 문장 고쳐쓰기

다음 친구가 고쳐 쓴 문장 과 같이 밑줄 그은 부분의 띄어쓰기를 바르게 고치고, 문장을 따라 쓰세요.

> 친구가 고쳐 쓴 문장
>
> 요즈음 텀블러 사용시 음료 가격을 할인해 주는 캠페인을 벌이는 매장이 늘어나고 있습니다.
>
> ↓
>
> 요즈음 텀블러 사용 시 음료 가격을 할인해 주는 캠페인을 벌이는 매장이 늘어나고 있습니다.

힌트 '어떤 일이나 현상이 일어날 때나 경우.'를 뜻하는 '시'는 앞말과 띄어 써야 해요.

비	행	시	에	는	∨	승	무	원	의	∨	말	을	∨
따	라	야	∨	한	다	.							

↓

			∨		에	는	∨	승	무	원	의	∨	말
을	∨	따	라	야	∨	한	다	.					

◉ 다음 글을 읽고, 밑줄 그은 글의 제목을 알맞게 고쳐 쓰세요.

계획을 세워서 공부를 하자

많은 친구들이 글쓰기를 지루하고 어렵게만 생각하여 하기 싫어합니다.

친구들이 꾸준히 글쓰기 공부를 하면 좋겠습니다. 글쓰기 공부를 열심히 하면 국어 실력이 늘 뿐만 아니라 다른 과목 공부에도 도움이 됩니다. 내 생각을 글로 잘 풀어내는 능력을 기르면 다른 과목의 문제에도 자신 있게 답할 수 있습니다.

글쓰기를 어렵다고만 생각하지 말고 하루에 조금씩이라도 글쓰기 공부를 한다면 어느새 글쓰기 실력이 쑥쑥 자라고, 생각을 글로 잘 표현하고 있는 자신을 발견할 수 있을 것입니다.

고쳐 쓴 제목

 힌트
글쓴이의 생각을 나타내거나 글 내용과 관련하여 궁금증을 불러일으키게 제목을 고쳐 써야 해요.

중심 문장 고쳐 쓰기

밤톨
'달콤한 간식을 많이 먹으면 이가 썩을 수 있다.'는 뒷받침 문장이 있네.

기찬
앗, 그렇다면 중심 문장을 '케이크를 많이 먹자.'라고 고쳐 쓸까?

글봇
'달콤한 간식을 조금만 먹자.'라고 고쳐 써야겠지.

제가 어제 쓴 글 중 '달콤한 간식을 많이 먹자.'라는 중심 문장과 그에 대한 뒷받침 문장을 쓴 문단을 보여 줄게요.

문단의 중심 문장을 고쳐 써라!

문단 수준에서 고쳐쓰기를 할 때에는

뒷받침 문장들과 어울리지 않는 중심 문장을 고쳐 써야 해요.

뒷받침 문장들의 내용을 대표하는 문장이 되도록 중심 문장을 고쳐 쓰면 된답니다.

▶ 정답 및 해설 24쪽

◉ 그림에 맞는 퍼즐 모양을 찾아 ○표를 하고, 문단의 중심 문장을 고쳐 쓰는 방법에 맞게 빈칸에 들어갈 낱말을 알아보아요.

○○○ 문장들의 내용을 대표하는 문장이 되도록 중심 문장을 고쳐 써요.

뒷받침

의문형

마지막

4
주

 중심 문장을 고쳐 쓰는 방법을 생각하며 제시된 뒷받침 문장들을 대표하는 중심 문장을 따라 쓰세요.

> • 복도에서 질서 있게 다닐 수 있습니다.
> • 부딪혀서 다치는 친구들이 줄어듭니다.

↓

| 복 | 도 | 에 | 서 | V | 우 | 측 | 통 | 행 | 을 | V | 합 | 시 |
| 다 | . | | | | | | | | | | | |

중심 문장 고쳐 쓰기

◉ 다음 만화를 읽고, 달래가 쓴 문단의 중심 문장 ㉠을 고쳐 쓰세요.

어휘 풀이

▼ **편식**|치우칠 편 偏, 밥 식 食| 어떤 특정한 음식만을 가려서 즐겨 먹음.
　　예 동생은 편식이 심해서 고기반찬만 먹는다.

▼ **문단**|글월 문 文, 구분 단 段| 긴 글을 내용에 따라 나눌 때, 하나하나의 짧은 이야기 토막.
　　예 글의 첫 번째 문단부터 이해가 되지 않았다.

▼ **중심 문장**|가운데 중 中, 마음 심 心, 글월 문 文, 글월 장 章| 한 편의 글이나 한 문단에서 중심 생각이 담겨 있는 문장. 예 선생님께서 문단의 중심 문장을 찾아보라고 하셨다.

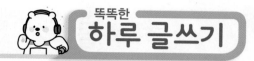

▶ 정답 및 해설 24쪽

낱말 쓰기

 1 단계 다음 달래의 말을 보고, 달래의 주장으로 알맞은 낱말을 빈칸에 쓰세요.

음식을 골고루 먹자고 주장하는 글을 써야겠다!

편식하지 말고 음식을 [ㄱ] [ㄱ] [ㄹ] 먹읍시다.

문장 쓰기

 2 단계 **1**에서 쓴 달래의 주장에 대한 근거로 알맞은 말을 보기 에서 골라 중심 문장 ㉠을 고쳐 쓰세요.

보기

음식을 골고루 먹어야   콜라를 꾸준히 마시면

고기를 많이 먹으면 우리 몸에 필요한 영양소를 모두 섭취할 수 있습니다.

↓

우리 몸에 필요한 영양소를 모두 섭취할 수 있습니다.

4 주

한 편 쓰기

 3 단계 **1**과 **2**에서 쓴 문장을 넣어 달래의 주장과, 주장에 대한 근거를 각각 완성하여 쓰세요.

주장	❶편	식	하	지	∨	말	고	∨			∨
		∨	먹	읍	시	다	.				
근거		❷			∨			∨			∨	우
	리	∨	몸	에	∨			∨				∨
			∨		할	∨	수	∨	있	습	니	다 .

한 가지 음식이 모든 영양소를 가지고 있지 않기 때문에 음식을 골고루 먹어야 몸에 필요한 영양소를 모두 얻고 건강을 유지할 수 있습니다. 특정 영양소가 부족하면 건강이 나빠지고 병에 걸리기 쉽습니다.

▶ 정답 및 해설 24쪽

1 다음 두 낱말의 뜻과 예를 보고, 문장의 밑줄 그은 낱말을 각각 바르게 고쳐 쓰세요.

낱말 고쳐쓰기

> **대다** 무엇을 어디에 닿게 하다.
> 예 휴대전화를 귀에 <u>대다</u>.
>
> **데다** 불이나 뜨거운 기운으로 말미암아 살이 상하다. 또는 그렇게 하다.
> 예 뜨거운 물을 쏟아 손을 <u>데다</u>.

(1) 친구들이 손도 <u>데지</u> 않고 버리는 반찬이 많다.

데 지 → ☐ ☐

(2) 요리를 하다 손을 <u>대고</u> 말았다.

대 고 → ☐ ☐

2 다음 문장에서 밑줄 그은 부분의 띄어쓰기를 알맞게 고쳐 쓰고, 문장을 따라 쓰세요.

문장 고쳐쓰기

> 다음 주까지 주장하는 글을 <u>한편씩</u> 써 오세요.

↓

| 다 | 음 | ∨ | 주 | 까 | 지 | ∨ | 주 | 장 | 하 | 는 | ∨ | 글 |
| 을 | ∨ | | ∨ | | | ∨ | 써 | ∨ | 오 | 세 | 요 | . |

 힌트 책이나 글 등을 세는 단위를 나타내는 낱말인 '편'은 앞말과 띄어 쓰고, '그 수량이나 크기로 나뉘거나 되풀이 됨.'의 뜻을 더해 주는 낱말인 '씩'은 앞말과 붙여 써요.

▶ 정답 및 해설 24쪽

● 다음 글을 읽고, ㉠~㉢ 중 고쳐 써야 할 중심 문장의 기호를 쓰고 바르게 고쳐 쓰세요.

종이 빨대나 다회용 빨대를 사용하자

한 조사에 따르면, 우리나라에서만 1년간 100억 개의 일회용 플라스틱 빨대가 사용되고 있다고 합니다. 이러한 일회용 플라스틱 빨대는 자연에 여러 가지 부정적 영향을 미칩니다. 일회용 플라스틱 빨대 사용을 줄이고 종이 빨대나 스테인리스, 실리콘 등의 소재로 만들어진 다회용 빨대를 사용합시다.

㉠첫째, 일회용 플라스틱 빨대는 재활용이 어렵습니다. 큰 플라스틱 제품들은 사용 후 재활용이 가능한 반면, 플라스틱 빨대와 같은 작은 플라스틱은 재활용이 거의 불가능하다고 합니다. 한 번 사용하면 그냥 버려져 쓰레기가 되는 것입니다.

㉡둘째, 일회용 플라스틱 빨대는 땅에 묻으면 잘 썩습니다. 일회용 플라스틱 빨대는 사용 후 땅에 묻어도 백 년 이상 썩지 않는다고 합니다. 이로 인해 환경이 오염되고, 후손들에게도 훼손된 자연환경을 물려주게 될 것입니다.

㉢셋째, 일회용 플라스틱 빨대는 동물들에게도 위험합니다. 일회용 플라스틱 빨대가 바다로 흘러들어 바다거북의 코에 박히고, 이로 인해 바다거북이 숨을 쉬지 못하고 있는 장면이 몇 해 전 화제가 되었습니다. 동물들을 위해서라도 일회용 플라스틱 빨대 사용을 줄여야 합니다.

우리 모두 일회용 플라스틱 빨대의 사용을 자제하고 종이 빨대나 다회용 빨대를 사용합시다. 우리의 작은 실천이 환경을 지키는 첫걸음이 될 것입니다.

❶ 고쳐 써야 할 중심 문장: (   )

❷ 고쳐 쓴 중심 문장:

문장의 호응이 잘 이루어지게 고쳐 써라!

문장 수준에서 고쳐쓰기를 할 때에는

문장 호응이 이루어지지 않은 문장을 고쳐 써야 해요.

문장의 호응이 알맞지 않으면 어색하거나 뜻을 알 수 없는 문장이 돼요.

'비록'과 '~지만' 같이 서로 어울리는 말을 함께 썼을 때 문장 호응이 잘 이루어졌다고 해요.

● 사다리 타기를 하여 도착한 곳의 낱말을 따라 쓰며, 문장의 호응이 잘 이루어지게 문장을 고쳐 쓰는 방법을 알아보아요.

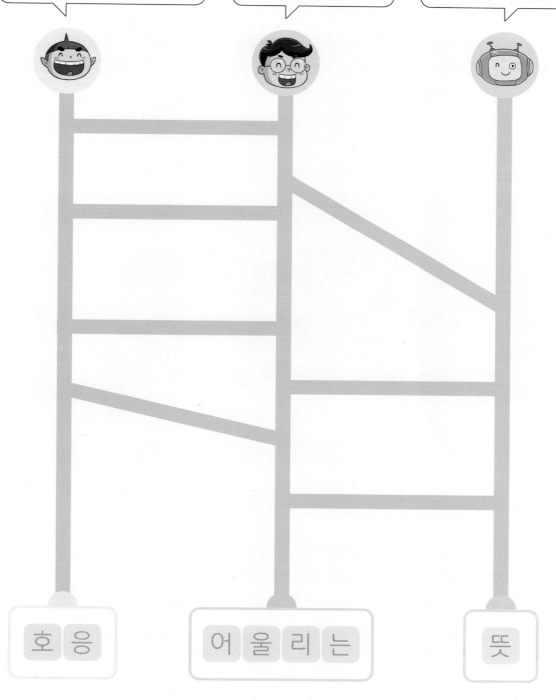

문장 수준에서 고쳐쓰기를 할 때에는 문장 ○○이 이루어지지 않은 문장을 고쳐 써야 해요.

문장의 호응이 알맞지 않으면 어색하거나 ○을 알 수 없는 문장이 돼요.

서로 ○○○○ 말을 함께 썼을 때 문장 호응이 잘 이루어졌다고 해요.

호응

어울리는

뜻

● 다음 글을 읽고, ☐ 부분의 문장 호응을 바르게 고쳐 일기의 생각이나 느낌 부분을 다시 쓰세요.

20○○년 6월 14일 토요일	날씨: 해님이 방긋

제목: 맛있는 태국 음식

　가족들과 집 근처에 새로 생긴 음식점에 갔다. 새로 생긴 음식점은 태국 요리를 파는 곳이었다. 이번 주 월요일부터 주말에 꼭 가기로 아빠, 엄마와 약속했던 곳이라 가기 전부터 기대가 컸다.

　음식점에 도착해 메뉴판을 살펴보았더니, 메뉴 이름들이 너무 어려웠다. 그래서 부모님께 여쭈어보았더니 여러 가지 요리를 골고루 시켜 주셨다. 음식을 주문하고 조금 있으니 국물 요리인 똠양꿍, 볶음 국수인 팟타이 등의 다양한 음식이 눈앞에 펼쳐졌다.

　아빠와 엄마께서 음식을 정말 맛있게 먹어서 내 기분도 좋았다. 비록 처음 먹어 보는 음식이라서 모두 내 입맛에도 꼭 맞았다.

🐭 어휘 풀이

▼ **기대** | 기약할 기 期, 기다릴 대 待 |　어떤 일이 원하는 대로 이루어지기를 바라면서 기다림.
　🅔 시험 결과가 기대에 미치지 못했다.

▼ **다양** | 많을 다 多, 모양 양 樣 | **한**　모양, 빛깔, 형태, 양식 따위가 여러 가지로 많은.
　🅔 다양한 취향을 모두 존중해 주어야 한다.

▼ **비록**　아무리 그러하더라도. 🅔 비록 처음 보는 사이지만 그와 좋은 친구가 될 수 있을 것 같았다.

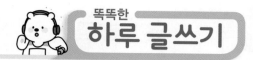
낱말 쓰기

보기 에서 알맞은 낱말을 골라 다음 문장의 호응을 바르게 고쳐 쓰세요.

> **보기**
>
> 드셔서   드려서   드세서

아빠와 엄마께서 음식을 정말 맛있게 먹어서 내 기분도 좋았다.

↓

아빠와 엄마께서 음식을 정말 맛있게 ☐☐☐ 내 기분도 좋았다.

문장 쓰기

보기 에서 알맞은 말을 골라 다음 문장의 호응을 바르게 고쳐 쓰세요.

> **보기**
>
> 먹어 보는 음식이었지만   먹어 보는 음식들이니까

비록 처음 먹어 보는 음식이라서 모두 내 입맛에도 꼭 맞았다.

↓

비록 처음 ☐☐☐☐☐☐☐☐ 모두 내 입맛에도 꼭 맞았다.

한 편 쓰기

1과 2에서 고쳐 쓴 문장을 이용하여 일기의 ☐ 부분을 다시 쓰세요.

❶아	빠	와	∨	엄	마	께	서	∨	∨
	∨			∨			∨	∨	
		∨	좋	았	다	.	❷	∨	∨
	∨		∨				∨		∨
내	∨	입	맛	에	도	∨	∨		

1

낱말 고쳐쓰기

친구가 쓴 문장 의 밑줄 그은 낱말 대신 바꿔 쓰기에 알맞은 낱말을 보기 에서 각각 골라 바꾸어 쓰세요.

보기

근거 근방 식당 식사

친구가 쓴 문장

가족들과 집 근처에 새로 생긴 음식점에 갔다.

↓

가족들과 집 ☐☐ 에 새로 생긴 ☐☐ 에 갔다.

2

문장 고쳐쓰기

다음 친구의 말에서, 밑줄 그은 부분을 바르게 고치고, 문장을 따라 쓰세요.

부모님께 물어보았더니 여러 가지 요리를 골고루 시켜 주었다.

힌트 '물어보았다'의 높임말은 '여쭈어보았다', '주었다'의 높임말은 '주셨다'예요.

부	모	님	께	∨							∨
여	러	∨	가	지	∨	요	리	를	∨	골	고	루	∨
시	켜	∨		.							

● 친구가 고쳐 쓴 문장 처럼 밑줄 그은 말에 주의하며 문장의 호응이 잘 이루어지도록 다음 문장을 고쳐 쓰세요.

친구가 고쳐 쓴 문장

어제 가족사진을 <u>찍을 것이다.</u>

↓

	어	제	V	가	족	사	진	을	V
찍	었	다	.						

❶

동생이 트라이앵글을 <u>치신다.</u>

↓

	동	생	이		트	라	이	앵	글
을									

힌트
동생은 웃어른이 아니기 때문에 높임 표현을 쓰지 않아야 호응이 잘 이루어지는 문장이 돼요.

❷

나는 햄버거를 별로 <u>좋아한다.</u>

↓

	나	는		햄	버	거	를		별
로									

힌트
'별로'는 주로 '~지 않다'등의 부정적인 말과 호응하는 말이에요.

낱말 고쳐 쓰기

기찬
증가? 뭔가 어색한데?

달래
넓혀서 크게 한다는 뜻의 낱말인 '확대'로 고치는 게 좋겠어.

글봇
오~. 달래 제법인데?

지난 주말에 제가 찍은 꽃 사진이에요.
자세히 볼 수 있게 꽃 부분을 증가해 볼까요?

어색한 낱말을 고쳐 써라!

낱말 수준에서 고쳐쓰기를 할 때에는,

뜻에 맞지 않게 사용한 낱말이 있는지 살펴보고

어색한 낱말을 뜻에 어울리는 자연스러운 낱말로 고쳐 써요.

◉ 그림에 맞는 퍼즐 모양을 찾아 ○표를 하고, 낱말 수준에서 고쳐쓰기를 하는 방법에 맞게 빈칸에 들어갈 낱말을 알아보아요.

어색한 낱말을
○에 어울리는
자연스러운 낱말로
고쳐 써요.

4
주

어색한 낱말을 뜻에 어울리는 자연스러운 낱말로 고쳐 쓴 부분을 생각하며 다음 문장을 따라 쓰세요.

> 버스에서 지갑을 <u>잊어버렸다</u>.

↓

버	스	에	서	V	지	갑	을	V	잃	어	버	렸
다	.											

낱말 고쳐 쓰기

● 다음 대화를 읽고, 밑줄 그은 낱말을 바르게 고쳐 쓰세요.

> 날이 <u>굳어서</u> 대나무의 잎을 구하러 나갈 수가 없어.
>
> 아……. 배고파. 대나무의 잎 먹고 싶다!

> 오늘 낮이 되면 비가 <u>중단하고</u> 해가 <u>난대</u>.
>
> 날이 개고 나면 <u>여태</u> 대나무의 잎을 찾아보자.

> 날이 굳어? 비가 중단해? 여태 찾아보자고?
>
> 너희 도대체 무슨 얘기를 하는 거야?

 어휘 풀이

▼ **굳어서** 무른 물질이 단단하게 되어서. 예 기름때가 굳어서 지워지지 않는다.

▼ **중단**|가운데 중 中, 끊을 단 斷|**하고** 어떤 일을 중간에 멈추거나 그만두고.
　예 하던 일을 중단하고 밥을 먹었다.

▼ **난대** 햇빛 따위가 나타난대. 예 제주는 지금 햇빛이 난대.

▼ **개고** 흐리거나 궂은 날씨가 맑아지고. 예 날이 개고 햇볕이 내리쬐었다.

▼ **여태** 지금까지 또는 아직까지. 예 약속 시간이 30분이나 지났는데 여태 친구가 오지 않는다.

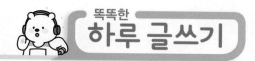
낱말 쓰기

1 단계

다음 문장을 읽고, 보기 에서 알맞은 말을 골라 밑줄 그은 낱말을 각각 바르게 고쳐 쓰세요.

┌─ 보기 ─────────────────────────────────┐
│   굿어서   굽어서   그치고   그을고   │
└───────────────────────────────────────┘

(1) 날이 <u>굳어서</u> 대나무의 잎을 구하러 나갈 수가 없어.

↓

날이 [　][　][　] 대나무의 잎을 구하러 나갈 수가 없어.

(2) 오늘 낮이 되면 비가 <u>중단하고</u> 해가 난대.

↓

오늘 낮이 되면 비가 [　][　][　] 해가 난대.

문장 쓰기

2 단계

보기 에서 알맞은 낱말을 골라 밑줄 그은 낱말을 바르게 고치고, 문장을 따라 쓰세요.

┌─ 보기 ─────────────────────────────────┐
│   이미   바로   벌써   │
└───────────────────────────────────────┘

┌───────────────────────────────────────┐
│   날이 개고 나면 <u>여태</u> 대나무의 잎을 찾아보자. │
└───────────────────────────────────────┘

↓

| 날 | 이 | ∨ | 개 | 고 | ∨ | 나 | 면 | ∨ | | ∨ | 대 |
| 나 | 무 | 의 | ∨ | 잎 | 을 | ∨ | 찾 | 아 | 보 | 자 | . |

▶ 정답 및 해설 26쪽

1
낱말
고쳐쓰기

두 낱말의 뜻과 예를 보고, 문장의 밑줄 그은 낱말을 각각 바르게 고쳐 쓰세요.

낮   해가 뜰 때부터 질 때까지의 동안.

예 낮에 강아지와 산책을 했다.

낯   눈, 코, 입 따위가 있는 얼굴의 바닥.

예 낯에 화장품을 발랐다.

(1) 자기 전에 낮을 깨끗이 씻었다.

낮 → [   ]

(2) 낯이 되면 구름이 걷히고 해가 난대.

낯 → [   ]

2
문장
고쳐쓰기

다음 밤톨이의 말에서 밑줄 그은 부분을 바르게 고치고, 문장을 따라 쓰세요.

너희 도데체 무슨 예기를 하는 거야?

너	희	V			V	무	슨	V			를	V
하	는	V	거	야	?							

힌트   '전혀 알지 못하거나 아주 궁금하여 묻는 것인데.'를 뜻하는 낱말은 '도대체'이고, '이야기'의 준말은 '얘기'예요.

● 서윤이가 쓴 일기의 일부분을 읽고, 보기 에서 알맞은 낱말을 각각 골라 밑줄 그은 부분을 바르게
고치고 따라 써 보세요.

서윤

가족들과 함께 바닷가에 놀러 가서 조개 구이를 먹었다.
껍질을 까는 것이 귀찮았지만 맛있어서 많이 먹었다. 후식으로 나온 귤은 껍데기가 얇고 달콤해 맛있었다.
다음에 또 가서 바다도 보고 조개 구이도 먹고 싶다.

4
주

보기

| 껍질 | 물체의 겉을 싸고 있는 단단하지 않은 물질. |
| 껍데기 | 달걀이나 조개 따위의 겉을 싸고 있는 단단한 물질. |

			를	∨	까	는	∨	것	이	∨	귀	찮
았	지	만	∨	맛	있	어	서	∨	많	이	∨	먹	었
다	.	후	식	으	로	∨	나	온	∨	귤	은	∨
		이	∨	얇	고	∨	달	콤	해	∨	맛	있	었	다

5일 글 고쳐 쓰기

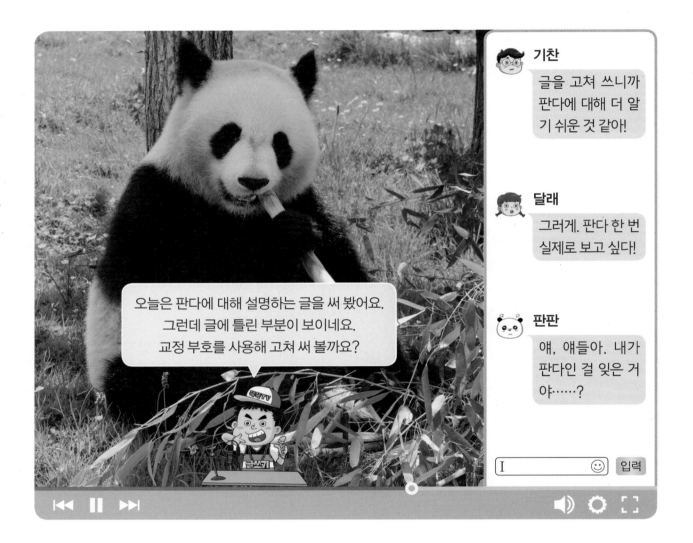

기찬
글을 고쳐 쓰니까 판다에 대해 더 알기 쉬운 것 같아!

달래
그러게. 판다 한 번 실제로 보고 싶다!

판판
얘, 얘들아. 내가 판다인 걸 잊은 거야……?

오늘은 판다에 대해 설명하는 글을 써 봤어요.
그런데 글에 틀린 부분이 보이네요.
교정 부호를 사용해 고쳐 써 볼까요?

한 편의 글을 고쳐 써라!

한 편의 글을 고쳐 쓸 때에는 쓴 글을 전체적으로 읽은 후에

문단 흐름과 제목이 자연스러운지, 문단의 중심 생각이 잘 나타났는지,

틀린 문장이나 낱말이 있는지 살펴봐요.

글을 고쳐 쓰면 읽는 사람이 글을 더 쉽게 이해할 수 있고,

자신의 생각을 더 잘 전달할 수 있어요.

▶ 정답 및 해설 27쪽

◉ 한 편의 글을 고쳐 쓰는 방법을 생각하며, 빈칸에 알맞은 말을 따라 쓰세요.

- 문단 흐름과 제 목 이 자연스러운지 살펴봐요.
- 문단의 중 심 생 각 이 잘 나타났는지 살펴봐요.
- 틀린 문 장 이나 낱 말 이 있는지 살펴봐요.

◉ 위에서 따라 쓴 낱말을 모두 찾아 색칠해 보고, 어떤 모양이 나오는지 알아보아요.

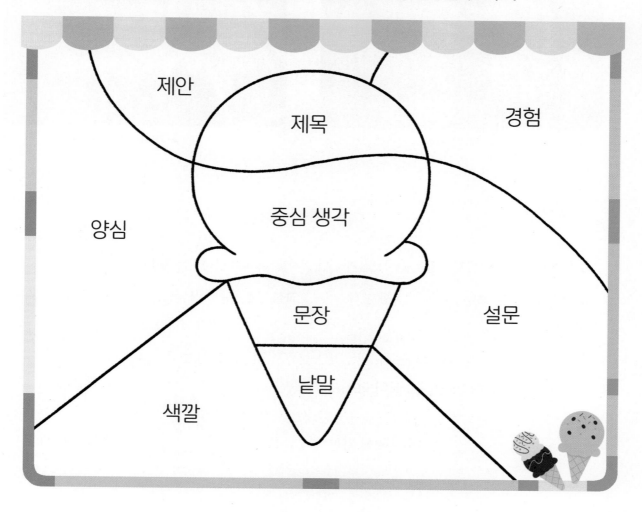

● 다음 설명하는 글을 읽고, 교정 부호에 맞게 틀린 부분을 바르게 고쳐 쓰세요.

거문고와 가야금

거문고와 가야금은 대표적인 우리 나라의 전통 현악기예요. 거문고와 가야금은 _{얼핏} 보면 생김새가 비슷하지만 다른 점도 많답니다.

거문고와 가야금은 주로 습기에 강하고 딱딱 단단하면서도 소리가 _{좋은} 조아 오동나무로 만들어요. 또한 선이 있는 목관 악기라는 점도 비슷하지요.

거문고는 줄이 6개, 가야금은 줄이 12개예요. 그리고 거문고는 술대라는 대나무막대기로 줄을 치면서 연주를 하지만 가야금은 손가락으로 직접 팅겨서 연주를 하지요.

▲ 거문고 연주

▲ 가야금 연주

🐭 교정 부호란?

교정 부호는 글에서 발견한 잘못을 바로잡기 위한 지시를 글 대신 나타내는 일정한 기호예요.

교정 부호	쓰임	사용한 예	교정 부호	쓰임	사용한 예
∨	띄어 쓸 때	학교에 간다.	⌣	여러 글자를 고칠 때	마음을 노아따.
⌢	붙여 쓸 때	엄마를 사랑 한다.	✓	글자를 뺄 때	검정 까만 자동차
⸲	한 글자를 고칠 때	삼춘을 뵈었다.	Y	글의 내용을 추가할 때	내 이름은 지수다.

낱말 쓰기

1 교정 부호에 알맞게 다음 글을 고쳐 빈칸에 알맞은 낱말을 각각 쓰세요.
단계

▲ 거문고   ▲ 가야금

(1) 거문고와 가야금은 대표적인 우리 나라의 전통 현악기예요.

→ 거문고와 가야금은 대표적인 ☐ ☐ ☐ ☐ ☐ 전통 현악기예요.

(2) 거문고와 가야금은 ^얼핏^ 보면 생김새가 비슷하지만 다른 점도 많답니다.

→ 거문고와 가야금은 ☐ ☐ 보면 생김새가 비슷하지만 다른 점도 많답니다.

문장 쓰기

2 교정 부호에 알맞게 다음 글을 고쳐 빈칸에 알맞은 말을 각각 쓰세요.
단계

(1) 거문고와 가야금은 주로 습기에 강하고 ~~딱딱~~ 단단하면서도 소리가 ~~조아~~ ^좋은^ 오동나무로 만들어요.

→ 거문고와 가야금은 주로 습기에 강하고 ☐ ☐ ☐ ☐ ☐ ☐ 오동나무로 만들어요.

(2) 또한 ~~선~~ ^줄^ 이 있는 목관 ^현악기^ 악기라는 점도 비슷하지요.

→ 또한 ☐ ☐ ☐ ☐ ☐ ☐ 점도 비슷하지요.

한 편 쓰기

3 교정 부호에 알맞게 다음 글을 고쳐 쓰세요.
단계

  거문고는 줄이 6개, 가야금은 줄이 12개예요. ^하지만^ ~~그리고~~ 거문고는 술대라는 대나무막대기로 줄을 치면서 연주를 하지만 가야금은 손가락으로 직접 ~~팅~~^팅^겨서 연주를 하지요.

1 다음 문장에서 줄 대신 바꿔 쓰기에 알맞은 낱말을 보기 에서 골라 쓰세요.

낱말
고쳐쓰기

보기

현 현악기에서 소리를 내는 가늘고 긴 물건.

활 현악기의 현을 켜는 데에 쓰는 물건.

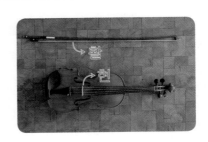

거문고는 줄 이 6개, 가야금은 줄 이 12개예요.

↓

거문고는 [ ]이 6개, 가야금은 [ ]이 12개예요.

2 다음 · 친구가 고쳐 쓴 문장 · 과 같이 알맞은 말을 넣어 문장을 고치고 따라 쓰세요.

문장
고쳐쓰기

친구가 고쳐 쓴 문장

거문고는 술대라는 대나무 막대기로 줄을 치면서 연주를
해요. 하지만 가야금은 손가락으로 직접 튕겨서 연주를 하지요.

↓

거문고는 술대라는 대나무 막대기로 줄을 치면서 연주를
하지만 가야금은 손가락으로 직접 튕겨서 연주를 하지요.

앞 내용과
반대되는 내용을
말할 때는 '-지만'을
써서 두 문장을
한 문장으로
이어 줘요.

힌트

목관 악기는 나무로 <u>만들어요. 하지만</u> 금관 악기는 쇠붙이로 만들어요.

↓

목	관	∨	악	기	는	∨	나	무	로	∨	
		∨	금	관	∨	악	기	는	∨	쇠	붙	이	로	∨
만	들	어	요	.							

● 다음 편지를 읽고, 교정 부호에 알맞게 다시 고쳐 써 보세요.

도윤이에게

안녕, 도윤아. 나 규민이야. 네가 병원에 입학^원했다는 이야기를 듣고 편지를 써.
네가 많이 편찮^{아프다는}으시다는 이야기를 듣고 내가 얼마나 걱정했는지 몰라. 얼른 낳아서 6월^나 여
름이 오기 전에 학교로 돌아오기를 우리 반 친구들 모두 바라고 있어.
^{건강한 모습으로}곧 학교 에서 만나자!

20○○년 5월 20일
너의 친구 규민이가

↓

도윤이에게

안녕, 도윤아. 나 규민이야. 네가 병원에 □ □ □ □ 이야기를 듣고
편지를 써.

네가 많이 □ □ □ 이야기를 듣고 내가 얼마나 걱정했는지 몰라. 얼른

□ □ □ 여름이 오기 전에 학교로 돌아오기를 우리 반 친구들 모두 바라고 있어.

□ □ □ □ □ □ 곧 □ □ □ 만나자!

20○○년 5월 20일
너의 친구 규민이가

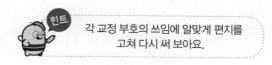
힌트
각 교정 부호의 쓰임에 알맞게 편지를
고쳐 다시 써 보아요.

생활 어휘 다음 만화를 보며 속담의 뜻을 알아보고, 상황에 맞게 속담을 써 보세요.

달면 삼키고
쓰면 뱉는다

속담의 뜻을 알아봐요!

달면 삼키고 쓰면 뱉는다

이 속담은 "옳고 그름이나 믿음과 의리를 돌보지 않고 자기의 이익만 꾀함."이라는 뜻이랍니다.

이제 이 속담을 넣어 상황에 맞게 써 볼까요?

"더니 청소는 도와주지 않고 사탕만 달라는 성규가 얄미웠다.

● 텀블러를 사용하자는 글을 읽은 수지가 주스를 사 마시려고 텀블러를 들고 주스 가게를 찾아가고 있어요. 어떤 낱말의 뜻인지 알맞은 답을 골라 따라 쓰며, 주스 가게까지 길을 찾아가세요.

 창의 　4주에 나왔던 **낱말과 그 뜻**을 익히며 주스 가게까지 가는 길을 찾아봅니다.

◉ 다음 달래의 제안을 보고, 가족들이 어떻게 변하였는지 그림에서 다른 부분 다섯 군데를 찾아 ◯표를 하세요.

편식하지 말고 음식을 골고루 먹읍시다.

 창의   달래의 제안을 생각하며 **두 그림에서 다른 부분**을 모두 찾아봅니다.

🔵 태국 음식을 맛있게 먹은 건우네 가족이 다른 나라의 음식을 먹어 보러 가기로 했어요. 다음 만화를 읽고, 건우네 가족이 먹으러 갈 알맞은 음식의 이름에 ○표를 하세요.

(1) 쌀국수

(2) 피자

(3) 초밥

융합
국어+사회

건우네 가족의 대화를 보며, **다른 나라의 음식 문화**에 대해 알아봅니다.

● 다음 고쳐 쓴 글을 읽고, 사용된 교정 부호를 차례대로 모두 지나가려면 어떤 코딩 명령을 사용해야 할지 알맞은 것에 ◯표를 하세요.

아주 너무 매운 떡볶이를 먹었다. 입에 불이 나는것 같았다. 친구와 다음에는 덜 매운 맛으로 먹자고 다짐했다. 하지만 저녁이 되니 또 생각 나고 한 번 더 매운 떡볶이가 먹고 싶어지는 이유는 무엇일까? 또 먹으러 가자고 해 볼까?

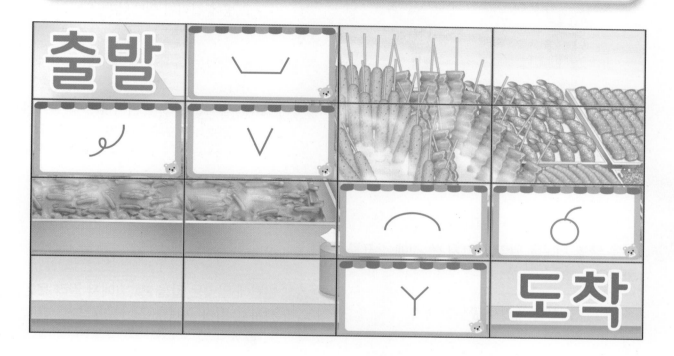

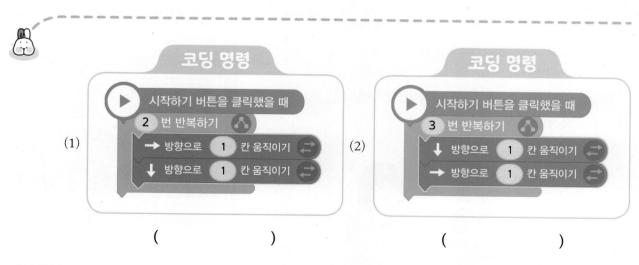

코딩 **코딩 블록을 어떻게 조합**해야 알맞은 교정 부호를 차례대로 지나갈 수 있을지 생각해 봅니다.

1 고쳐쓰기에 대해 알맞게 말한 친구의 이름을 쓰세요.

글을 쓰고 나서 내용과 표현이 알맞도록 다시 쓰는 것을 말해.

글을 쓰기 전에 글을 어떻게 쓸 것인지 계획을 세우는 것을 말해.

밤톨

기찬

( )

2 다음 글의 제목을 알맞게 고쳐 쓴 것에 ◯표를 하세요.

계획을 세워서 공부를 하자

친구들이 꾸준히 글쓰기 공부를 하면 좋겠습니다. 글쓰기 공부를 열심히 하면 국어 실력이 늘 뿐만 아니라 다른 과목의 공부에도 도움이 됩니다. 내 생각을 글로 잘 풀어내는 능력을 기르면 다른 과목의 문제에도 자신 있게 답할 수 있습니다.

(1) 글쓰기 공부를 열심히 하자 ( )
(2) 줄넘기 연습을 열심히 하자 ( )

3 다음 뒷받침 문장들을 읽고, 중심 문장을 알맞게 쓴 친구의 이름을 쓰세요.

• 한 가지 음식이 모든 영양소를 가지고 있지 않기 때문에 음식을 골고루 먹어야 몸에 필요한 영양소를 모두 얻고 건강을 유지할 수 있습니다.
• 특정 영양소가 부족하면 건강이 나빠지고 병에 걸리기 쉽습니다.

판판: 맛없는 음식을 억지로 먹지 말아야 합니다.
달래: 음식을 골고루 먹어야 우리 몸에 필요한 영양소를 모두 섭취할 수 있습니다.

( )

글쓰기

4 빈칸에 알맞은 말을 보기 에서 골라 문장을 완성하고, 따라 쓰세요.

보기

찍는다   찍었다

어	제	V	가	족	사	진
을	V			.		

5 다음 중 호응이 맞지 <u>않는</u> 문장에 ×표를 하세요.

(1) 동생이 트라이앵글을 친다. ( )

(2) 나는 햄버거를 별로 좋아한다. ( )

6 밑줄 그은 낱말의 뜻에 주의하여 문장과 어울리는 그림을 각각 선으로 이으세요.

(1) 날이 굿다. ·   · ①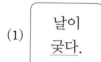

(2) 촛농이 굳다. ·   · ②

7 다음 글을 고쳐 쓴 방법으로 알맞은 낱말을 따라 쓰세요.

> 비가 <u>중단하고</u> 해가 난대.

↓

> 비가 <u>그치고</u> 해가 난대.

> 어색한 날 말 문 단 을 뜻에 어울리는 자연스러운 낱말로 고쳐 썼다.

[8~9] 다음 글을 읽고, 물음에 답하세요.

> ㉠네가 많이 <s>편찮으시다</s>는(아프다는) 이야기를 듣고 내가 얼마나 걱정했는지 몰라. ㉡얼른 낳아서(나) 여름이 오기 전에 학교로 돌아오기를 우리 반 친구들 모두 바라고 있어.

글쓰기

8 문장 ㉠에서 잘못 사용된 낱말을 교정 부호에 따라 바르게 고쳐 문장을 완성하고, 따라 쓰세요.

네	가	V	많	이	V
		V	이	야	기	를	V
듣	고	V	내	가	V	얼	마
나	V	걱	정	했	는	지	V
몰	라	.			

글쓰기

9 문장 ㉡에서 잘못 사용된 낱말을 교정 부호에 따라 바르게 고쳐 빈칸에 쓰세요.

> 얼른 ☐ ☐ ☐ 여름이 오기 전에 학교로 돌아오기를 우리 반 친구들 모두 바라고 있어.

10 고쳐쓰기를 하면 좋은 점이 <u>아닌</u> 것에 ×표를 하세요.

(1) 글을 더 빨리 완성할 수 있다. ( )

(2) 자신의 생각을 더 잘 전달할 수 있다.

( )

(3) 읽는 사람이 글을 더 쉽게 이해할 수 있다.

( )

 # 똑똑한 하루 글쓰기 ✔한권 끝!

글쓰기 공부 하느라 수고했어요.
교재를 꾸준히 잘 풀었는지 돌아보고 ◯표를 하세요.

약속한 사람 _____

첫째, 하루하루 빠짐없이 꾸준히 공부했나요? 예   아니요

둘째, 하루 글쓰기 문제를 끝까지 다 풀었나요? 예   아니요

셋째, 또박또박 바르게 글씨를 썼나요? 예   아니요

아쉽고 부족한 부분을 스스로 돌아보고,
다음 단계를 공부할 때에는 더 열심히 해 봐요!

그럼, 다음 책으로 고고!

매일 조금씩 **공부력** UP

똑똑한 하루
독해&어휘

쉽다!

10분이면 하루치 공부를 마칠 수 있는
커리큘럼으로, 아이들이 쉽고 재미있게
독해&어휘에 접근할 수 있도록 구성

재미있다!

교과서는 물론 생활 속에서 쉽게
접할 수 있는 다양한 소재를 활용해
흥미로운 학습 유도

똑똑하다!

초등학생에게 꼭 필요한 상식과 함께
창의적 사고력 확장을 돕는
게임 형식의 구성으로 독해력&어휘력 학습

공부의 핵심은 독해!
예비초~초6 / 총 6단계, 12권

독해의 시작은 어휘!
예비초~초6 / 총 6단계, 6권

똑똑한 하루 시/리/즈

✖ 쉽다!

10분이면 하루치 공부를 마칠 수 있는 커리큘럼으로,
아이들이 초등 학습에 쉽고 재미있게 접근할 수 있도록 구성하였습니다.

🧩 재미있다!

교과서는 물론 생활 속에서 쉽게 접할 수 있는 다양한 소재와
재미있는 게임 형식의 문제로 흥미로운 학습이 가능합니다.

📖 똑똑하다!

초등학생에게 꼭 필요한 학습 지식 습득은 물론
창의력 확장까지 가능한 교재로 올바른 공부 습관을 가지는 데 도움을 줍니다.

기초
학습능력 강화
프로그램

똑똑한

하루
글쓰기

6A 단계
5~6학년

정답 및 해설

천재교육

정답 및 해설 포인트 ❸가지

▶ 혼자서도 이해할 수 있는 친절한 문제 풀이

▶ 문제 해결에 도움을 주는 '더 알아보기'와
   틀린 부분을 짚어 주는 '왜 틀렸을까?'

▶ 예시 답안과 단계별 채점 기준 제시로
   실전 서술형 문항 완벽 대비

똑똑한

하루
글쓰기

6단계 A 5~6학년

정답 및 해설

10~11쪽 1주에는 무엇을 공부할까? ❷

1-1 (2) ○　　　1-2 나 열 짜 임
2-1 (1) ×　　　2-2 처음

1-1 나열 짜임은 하나의 주제에 대하여 몇 가지 특징을 늘어놓는 글의 짜임입니다.

1-2 이 글은 한옥의 특징을 나열하여 설명하였습니다.

2-1 설명문의 처음 부분에서는 흥미를 끄는 내용을 쓰고, 무엇을 설명할 것인지 밝혀야 합니다.

2-2 기찬과 글봇이 하는 말에서 설명문의 처음 부분이라는 것을 알 수 있습니다.

1일

13쪽 똑똑한 하루 글쓰기 미리 보기

나열 짜임

14~15쪽 똑똑한 하루 글쓰기

1 (1) 한식은 주로 밥 을 먹기 위해 차린다.
 (2) 한식은 발 효 음식이 발달했다.
2 한식의 대부분은 갖 은 양 념 을 고루 넣어서 만든다.
3 한식은 한식만의 독특한 특징을 가지고 있다.
　첫째, ❶ 예 한식은 주로 밥을 먹기 위해 차린다. 한식은 주식인 밥을 중심으로 국과 반찬 등의 음식을 한 상에 차려서 먹는다.
　둘째, ❷ 예 한식은 발효 음식이 발달했다. 간장이나 된장, 김치 같은 발효 음식들은 맛도 좋고, 건강에도 좋다.
　끝으로, 한식의 대부분은 ❸ 예 갖은 양념을 고루 넣어서 만든다. 그래서 재료와 양념이 어우러져 깊고 풍부한 맛을 낸다.

1 한식은 주로 밥을 먹기 위해 국과 반찬을 차리고, 간장이나 김치 등의 발효 음식이 발달했습니다.

2 기사 제목에서 한식은 갖은 양념을 고루 넣어서 만든다는 것을 알 수 있습니다.

3 1과 2에서 쓴 한식의 특징을 나열 짜임으로 써 봅니다.

　채점 기준
　나열 짜임에 맞게 한식의 특징을 모두 잘 썼으면 정답으로 합니다.

16쪽 똑똑한 하루 글쓰기 고쳐쓰기

1 (1) 우리나라 (2) 우리글
2 어 서 ∨ 문 제 를 ∨ 풀 어 ∨ 보 자 .

1 '우리나라'와 '우리글'은 한 낱말이므로 붙여 씁니다.

2 '어서 문제를 풀어 봐라.'는 문제를 풀라고 명령하는 문장입니다. '어서 문제를 풀어 보자.'라고 고치면 같이 문제를 풀어 보자고 요청하는 문장이 됩니다.

17쪽 똑똑한 하루 글쓰기 마무리

　규칙적으로 운동을 하면 좋은 점들이 많다.
　첫째, ❶ 운동은 우리 몸과 정신을 건강하게 한다. 운동을 하면 체력이 좋아지고 근육이 발달해 같은 일을 해도 덜 힘들게 느껴진다. 또한 모든 일에 자신감이 붙고 긍정적으로 생각하게 되는 효과가 있다.
　둘째, ❷ 적당한 운동은 잠을 더 잘 잘 수 있도록 돕는다. 운동을 하면 더 쉽게 잠들고, 더 깊고 편안한 잠을 잘 수 있다고 한다.
　마지막으로, ❸ 운동이 병에 대한 면역력을 높여 준다. 규칙적으로 운동을 하는 사람은 그렇지 않은 사람에 비해 병에 걸리지 않는다는 연구가 있다. 운동이 면역 작용에 관계된 세포의 기능을 향상시키기 때문이다.

○ 규칙적으로 운동을 하면 좋은 점 세 가지를 이어지는 뒷받침 문장의 내용에 알맞게 나열해 봅니다.

채점 기준

구분	답안 내용	
평가 기준	규칙적으로 운동을 하면 좋은 점 세 가지를 모두 알맞게 썼습니다.	상
	규칙적으로 운동을 하면 좋은 점 중 두 가지를 알맞게 썼습니다.	중
	규칙적으로 운동을 하면 좋은 점 중 한 가지만 알맞게 썼습니다.	하

2일

19쪽   똑똑한 하루 글쓰기 미리 보기

❶ 시 간
❷ 효 율 적
❸ 순 서

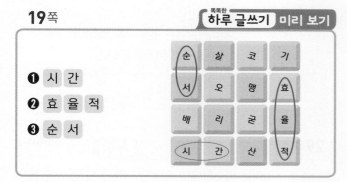

20~21쪽   똑똑한 하루 글쓰기

1 (1) 맨 처음, 계란 푼 물에 파를 넣고 소 금 간을 한 뒤에 충분히 섞어 준다.

(2) 그런 다음 프라이팬에 식용유를 골고루 두른 뒤에 계 란 물 을 붓는다.

2 계란이 조금씩 익으면 끝에서부터 뒤 집 개 로 살 살 말 아 준 다.

3 계란말이 만드는 방법은 다음과 같다. 맨 처음, 계란 푼 물에 ❶ 예 파를 넣고 소금 간을 한 뒤에 충분히 섞어 준다. 그런 다음 프라이팬에 ❷ 예 식용유를 골고루 두른 뒤에 계란물을 붓는다. 계란이 조금씩 익으면 ❸ 예 끝에서부터 뒤집개로 살살 말아 준다.

1~2 계란말이 만드는 방법에 알맞은 말을 골라 씁니다.

3 1, 2의 문장을 써서 설명하는 글을 씁니다.

채점 기준

계란말이 만드는 방법을 순서대로 썼으면 정답입니다.

22쪽   똑똑한 하루 글쓰기 고쳐쓰기

1 (1) 계란을 충 분 히 섞어 준다.

(2) 계란이 익도록 잠시 가 만 히 둔다.

2

계	란	을	V	끝	에	서	부	터	V	살	살	V
말	아	V	준	다	.							

1 마지막 글자의 소리가 '이'로만 나는 경우는 '−이'로 적고, 소리가 '히'로만 나거나 '이'나 '히'로 나는 경우에는 '−히'로 적습니다. '충분히', '가만히'는 '이'나 '히'로 소리 나므로 '−히'로 적습니다.

< 더 알아보기 >

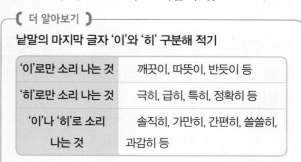

낱말의 마지막 글자 '이'와 '히' 구분해 적기

'이'로만 소리 나는 것	깨끗이, 따뜻이, 반듯이 등
'히'로만 소리 나는 것	극히, 급히, 특히, 정확히 등
'이'나 '히'로 소리 나는 것	솔직히, 가만히, 간편히, 쓸쓸히, 과감히 등

2 계란을 마는 시작 지점이 '끝' 부분임을 나타내는 말로 알맞은 것은 '끝에서부터'입니다.

23쪽   똑똑한 하루 글쓰기 마무리

전통 놀이인 비사치기는 누구나 쉽고 간단하게 즐길 수 있다. 먼저, ❶ 예 손바닥만 하고 넓적한 돌을 고른다. 돌을 고르고 나면, 가위바위보에서 진 편이 일정한 자리에 선을 긋고 자기 돌을 세운다. 그런 다음, ❷ 예 멀리서 돌을 던지거나 몸에 돌을 올리고 다가가 선 위에 세워 놓은 돌을 쓰러뜨리면 된다.

◉ 비사치기 하는 방법을 순서에 맞게 써서 설명하는 글을 완성해 봅니다.

채점 기준

구분	답안 내용	
평가 기준	비사치기 하는 방법을 순서에 맞게 썼습니다.	상
	비사치기 하는 방법을 순서에 맞게 썼지만, 맞춤법이 틀린 부분이 있습니다.	중
	비사치기 하는 방법을 한 가지 순서만 알맞게 썼습니다.	하

3일

25쪽 　똑똑한 하루 글쓰기 **미리 보기**

비교·대조
짜임

26~27쪽 　똑똑한 하루 글쓰기

1 축구와 야구는 여럿이 한 팀이 되어 공을 가지고 하는
운동 경기란 점이 비슷하다.
2 (1) 축구는 한 팀이 11명이며, 축구공만 있으면 쉽게 할
수 있고, 전·후반전으로 나뉘어 시 간 제 한 이
있 다 .
　 (2) 야구는 한 팀이 9명이며, 야구공 외에도 여 러
장 비 가 필 요 하고, 9회로 나뉘어 시간 제한이
없다는 점이 다른 점이다.
3 축구와 야구는 ❶ 예 여럿이 한 팀이 되어 공을 가지고 하
는 운동 경기란 점이 비슷하다.
　축구는 ❷ 예 한 팀이 11명이며, 축구공만 있으면 쉽게
할 수 있고, 전·후반전으로 나뉘어 시간 제한이 있다. 야구
는 ❸ 예 한 팀이 9명이며, 야구공 외에도 여러 장비가 필요
하고, 9회로 나뉘어 시간 제한이 없다는 점이 다른 점이다.

1 축구와 야구는 여럿이 한 팀이 되어 공을 가지고 하
는 운동 경기란 공통점이 있습니다.

2 축구와 야구의 차이점이 잘 드러나도록 축구와 야구
의 특징에 알맞은 말을 각각 골라 씁니다.

3 1과 2에서 쓴 문장을 넣어 축구와 야구를 비교·대
조 짜임에 따라 설명하는 글을 씁니다.
　채점 기준
　　축구와 야구의 공통점과 차이점이 잘 드러나도록 썼으
　면 정답입니다.

28쪽 　똑똑한 하루 글쓰기 **고쳐쓰기**

1 예 축구와 야구는 여럿이 한 팀이 되어 공을 가지고 하는
운동 경기란 점이 유 사 하 다 .
　 예 축구와 야구는 여럿이 한 팀이 되어 공을 가지고 하는
운동 경기란 점이 흡 사 하 다 .
2 　축 구 는 ∨ 축 구 공 만 ∨ 있 으 면 ∨
쉽 게 ∨ 할 ∨ 수 ∨ 있 다 .

1 두 낱말 모두 바꿔 써도 뜻이 변하지 않습니다.

2 종이비행기는 색종이만 있으면 만들 수 있고, 축구
는 축구공만 있으면 쉽게 할 수 있습니다.
　┌ 더 알아보기 ┐
　　'만'은 다른 것은 제외하고 어느 것을 한정함을 나타내
　는 말입니다. 예 아빠는 항상 야구만 보신다.

29쪽 　똑똑한 하루 글쓰기 **마무리**

　개와 고양이는 비슷한 점도 많지만 다른 점도 참 많은 동
물이다.
　예 개와 고양이는 대표적인 반려동물로 사람들에게 사랑
받고 있는 점이 비슷하다.
　개는 산책을 좋아하고, 사람의 지시를 잘 따르기 때문에
다양한 훈련도 시킬 수 있다. 하지만 고양이는 산책을 싫어
하고, 사람의 지시를 잘 따르지 않기 때문에 훈련을 시키기
가 어렵다는 차이가 있다.

◉ 친구들이 한 말에서 개와 고양이의 공통점과 차이점
을 알 수 있습니다.

채점 기준

구분	답안 내용	
평가 기준	개와 고양이의 공통점과 차이점을 모두 알맞게 썼습니다.	상
	개와 고양이의 공통점과 차이점을 썼지만, 표현이 어색한 부분이 있습니다.	중
	개와 고양이의 공통점과 차이점 중 한 가지만 알맞게 썼습니다.	하

4일

31쪽
하루 글쓰기 미리 보기

 설명문은 글을 쉽게 이해할 수 있도록 '처 음 – 가운데-끝'의 세 단계로 써요.

 처음 부분에서는 읽는 사람의 흥미를 끌어야 하고, 무엇을 설 명 할 것인지를 밝혀야 해요.

 끝부분에서는 설명한 내용을 간단히 요약하고 마무리하여 정 리 해야 해요.

32~33쪽
하루 글쓰기

1 우리 주변에 살고 있는 곤충들을 알아볼 수 있도록 곤충의 특 징 에 대해 알아보자.

2 ❶ 곤 충 을 구 분 할 수 있는 곤충의 특징에 대해 알아보았다.

❷ 곤충의 특징을 알고 있다면 다른 동물과 곤 충 을 헷 갈 리 는 일은 없을 것이다.

3

곤	충	을	∨	구	분	할	∨	수	∨	있	는	∨
곤	충	의	∨	특	징	에	∨	대	해	∨	알	아	보
았	다	.	곤	충	의	∨	특	징	을	∨	알	고
있	다	면	∨	다	른	∨	동	물	과	∨	곤	충	을	∨
헷	갈	리	는	∨	일	은	∨	없	을	∨	것	이	다	.

1 처음 부분에서는 앞으로 곤충의 특징에 대해 설명할 것임을 밝히는 내용이 와야 합니다.

2~3 설명한 내용을 간단히 요약하고 마무리하여 정리할 수 있도록 알맞은 말을 씁니다.

> **채점 기준**
> 끝부분의 내용을 알맞게 썼으면 정답으로 합니다.

34쪽
하루 글쓰기 고쳐쓰기

1 (1) 다음 문제의 답을 맞 혀 보자.
(2) 시험지를 정답과 맞 춰 보았다.

2

개	미	는	∨	곤	충	이	지	만	∨	대	부	분
의	∨	개	미	는	∨	날	개	를	∨	가	지	고
있	지	∨	않	다	.							

1 (1) 친구가 낸 문제에 대한 답을 틀리지 않게 말해 보자는 뜻에 알맞은 말은 '맞혀 보자'입니다.
(2) 시험지와 정답을 나란히 놓고 비교하여 살펴보았다는 뜻에 알맞은 말은 '맞춰 보았다'입니다.

2 두 문장을 하나의 문장으로 합칠 때에 '~이다. 하지만'을 '~이지만'으로 합쳐 쓸 수 있습니다.

35쪽
하루 글쓰기 마무리

처음	(예) 일 년 열두 달 하루도 빠지지 않고 우리 밥상을 지키는 김치가 어떻게 만들어지는지 알아보자.
끝	(예) 이렇게 만들어진 김치는 한국인의 밥상에서 빠질 수 없는 반찬으로 사랑받고 있다.

◉ 이 글은 김치를 만드는 방법을 순서 짜임으로 설명한 설명문입니다. 가운데 부분의 내용을 보고, 그에 알맞은 처음 부분과 끝부분을 골라 씁니다.

채점 기준

구분	답안 내용	
평가 기준	처음 부분과 끝부분에 알맞은 문장을 골라 바르게 썼습니다.	상
	처음 부분과 끝부분에 알맞은 문장을 골라 썼지만, 맞춤법이 틀린 부분이 있습니다.	중
	처음 부분과 끝부분 중에서 한 곳만 알맞은 문장을 골라 썼습니다.	하

5일

37쪽
하루 글쓰기 미리 보기

진	추	(처	음)
(짜	신	하	강
임)	사	(요	리
금	색	약)	도

❶ 처 음
❷ 짜 임
❸ 요 약

38~39쪽   똑똑한 **하루 글쓰기**

1 (1) 방을 보면 그 사람의 성격을 알 수 있다고 한다.
    (2) 방 정리 잘하는 방법을 알아보자.

2 ❶ 첫째, 필요하지 않은 물건은 과감히 버린다.
    ❷ 둘째, 자주 쓰는 물건을 찾기 쉬운 곳에 정리한다.
    ❸ 마지막으로, 다른 일을 시작하기 전에 쓰던 물건들을 정리한다.

3 ⓔ 방 정리 잘하는 방법을 알아보았다. 깨끗하게 정리된 방은 일의 효율을 높여 주고, 기분을 좋게 해 줄 것이다.
    ⓔ 방 정리 잘하는 방법을 알아보았다. 방을 정리하는 일은 쉽지만 부지런함이 필요한 일이다.

1 방을 보면 그 사람의 성격을 알 수 있다고 하면서, 방 정리 잘하는 방법을 알려 주겠다고 하였습니다.

┌─ **더 알아보기** ─┐
- 읽는 사람의 흥미를 끄는 말 쓰기
  ⓔ 방을 보면 그 사람의 성격을 알 수 있다.
- 무엇을 설명할 것인지를 밝히기
  ⓔ 방 정리 잘하는 방법을 알아보자.
└────────────┘

2 방 정리 잘하는 방법에 알맞은 말을 각각 골라 씁니다.

3 어떤 것을 써도 답이 될 수 있으므로 **보기** 에서 마음에 드는 내용을 골라 끝부분을 완성합니다.

채점 기준
끝부분에 들어갈 마무리하는 내용을 맞춤법에 맞게 잘 썼으면 정답입니다.

40쪽   똑똑한 **하루 글쓰기** 고쳐쓰기

1 즉시즉시 물건을 정리하면 물건을 잃어버리는 일이 줄어든다.

2 아침으로 ∨ 먹은 ∨ 밥과 ∨ 국이 ∨ 맛있었다.

1 '바로바로'는 '그때그때 곧.'이라는 뜻의 낱말로, '즉시즉시'와 바꾸어 써도 뜻이 통합니다.

2 비슷한 형태의 두 문장은 공통되는 부분을 남기고 '와/과'를 사용해 한 문장으로 합칠 수 있습니다.

41쪽   똑똑한 **하루 글쓰기** 마무리

ⓔ   **김밥의 특징**
  온 국민에게 널리 사랑받는 김밥의 특징에 대해 알아보자.
  첫째, 김밥은 다양한 영양소를 골고루 섭취할 수 있는 음식이다. 김밥 속에는 밥과 고기, 채소 등이 한데 어우러져 있기 때문이다.
  둘째, 김밥은 언제 어디서나 간편하게 먹을 수 있다. 여러 재료와 밥을 김에 말아 한입에 먹기 좋은 크기로 썰어 놓은 김밥은 편하게 집어 먹을 수 있다.
  끝으로, 김밥은 취향에 따라 다양한 재료를 넣어 만들어 먹을 수 있다. 불고기, 참치, 샐러드, 치즈 등을 넣어 자신의 입맛대로 만들어 먹을 수 있다.
  누구나 좋아할 수밖에 없는 김밥의 특징을 살펴보았다. 오늘은 김밥을 직접 만들어 먹어 보면 어떨까?

ⓔ   **맛있는 된장찌개 끓이는 방법**
  된장찌개는 만들기도 쉽고 맛도 좋은 국민 찌개이다. 된장찌개 끓이는 방법을 알아보자.
  맨 처음, 무, 애호박, 두부를 적당한 크기로 자르고, 고추와 대파, 버섯 등의 재료를 다듬어 놓는다. 재료를 준비한 뒤에, 냄비에 멸치 국물을 붓고 체에 된장을 올려 풀어 준다. 물이 끓으면 손질해 둔 재료를 모두 넣고 재료가 익을 때까지 끓여 준다.
  된장찌개 끓이는 방법은 이처럼 어렵지 않고 누구나 맛있게 만들 수 있다. 그래서 사람들에게 더 사랑받는 음식이 되었다.

ⓔ   **버스와 택시**
  버스와 택시는 우리의 발이 되어 주는 든든한 대중교통이다. 버스와 택시에 대해 알아보자.
  버스와 택시는 돈을 내고 타면 원하는 목적지까지 우리를 데려다 주는 대중교통이라는 공통점이 있다. 그런데 버스는 정해진 노선대로 움직이며 많은 사람이 함께 이용하지만, 택시는 정해진 노선 없이 고객이 원하는 대로 움직이며 일행만 이용하기에 버스보다 더 편리하다. 버스는 싼 가격에 이용할 수 있지만, 택시는 가격이 비싸다는 차이도 있다.
  버스와 택시에 대해 알아보았다. 이 둘은 서로 부족한 부분을 채워주기 때문에 어느 것도 없어서는 안될 교통수단이다.

○ 자신이 잘 아는 주제를 골라 '처음-가운데-끝'의 구성으로 한 편의 설명문을 써 봅니다. 가운데 부분을 쓸 때에는 주제에 알맞은 짜임을 골라 자세히 씁니다.

구분	답안 내용	
평가 기준	주제와 글의 짜임에 맞게 '처음-가운데-끝'의 구성에 맞춰 설명문을 잘 썼습니다.	상
	주제와 글의 짜임에 맞게 설명문을 썼지만, 구성 중 빠진 부분이 있습니다.	중
	처음 부분과 끝부분을 쓰지 않고, 설명문의 가운데 부분만 간단히 썼습니다.	하

특강

똑똑한 하루 창의·융합·코딩

43쪽

잘못을 저지른 동생이 안절부절못하는 것을 보니 " 식 혜 먹 은 고 양 이 속 "같다.

44쪽

○ '우리나라 고유의 음식이나 식사.'라는 뜻의 낱말은 '한식', '음식물에 짠맛을 내는 물질.'이라는 뜻의 낱말은 '간', '들인 노력과 얻은 결과의 비율.'이라는 뜻의 낱말은 '효율'입니다.

45쪽

지한이는 계란말이를 만들기 위해서 계 란 , 파 , 소 금 을 모았어요.

○ 지한이가 코딩 명령을 따라가면 다음 그림처럼 이동하며 계란, 파, 소금을 주는 친구들을 만나게 됩니다.

46쪽

아이들은 호 랑 이 와 사 자 의 공통점과 차이점에 대해 말하고 있어요.

○ 친구들이 이야기하는 두 동물의 공통점과 차이점을 살펴보면 두 동물이 호랑이와 사자라는 사실을 알 수 있습니다.

47쪽

○ 김치를 만드는 방법을 생각하며 다른 부분 다섯 군데를 모두 찾아봅니다.

평가 ──────────── **누구나 100점 테스트**

48~49쪽

1 순서 **2** 한식의 특징

3

끝	으	로	,		한	식	의	∨
대	부	분	은	∨		같	은	∨
양	념	을	∨	고	루	∨	넣	
어	서	∨	만	든	다	.		

4 계란말이 만드는 방법

5 ㉡ **6** 다른 점

7

여	럿	이	∨	한	∨	팀	
이	∨	되	어	∨	공	을	∨
가	지	고	∨	하	는	∨	운
동	∨	경	기	란	∨	점	이 ∨
비	슷	하	다	.			

8 (1) ② (2) ① **9** 상호

10 방 정리 잘하는 방법

---

1 시간이나 공간의 순서에 따라 설명하는 글의 짜임은 순서 짜임입니다.

(**왜 틀렸을까?**)
'나열 짜임'은 하나의 주제에 대하여 몇 가지 특징을 늘어놓는 글의 짜임이고, '비교·대조 짜임'은 두 가지 이상의 대상에서 공통점과 차이점을 찾아 설명하는 글의 짜임입니다.

2 글의 처음 부분을 보면 한식의 특징에 대해 설명할 것임을 알 수 있습니다.

3 나열 짜임에 따라 한식의 특징을 나열하면서 첫째, 둘째 다음에 마지막으로 오는 특징이므로 '끝으로'가 알맞습니다.

(**더 알아보기**)
나열 짜임의 글을 쓸 때에는 '첫째, 둘째, 셋째'와 같은 방식으로 쓰고, 마지막 특징을 쓸 때에는 '마지막으로', '끝으로'와 같은 방식으로 쓸 수도 있습니다.

4 글 앞부분에서 계란말이 만드는 방법을 설명하는 글이라는 것을 알 수 있고, 글에서 설명하는 대로 따라 하면 계란말이가 만들어집니다.

5 ㉠'맨 처음', ㉢'그런 다음'이 일을 하는 순서를 알려 주는 말이며, ㉡은 일을 하는 순서를 알려 주는 말이 아닙니다.

(**더 알아보기**)
순서 짜임의 글을 쓸 때에는 순서를 알려 주는 말로 '맨 처음', '⋯⋯한 뒤에', '⋯⋯한 다음'과 같은 표현을 쓸 수 있습니다.

6 ㉠ 앞에서 축구와 야구의 차이점에 대해서 설명하였으므로 '다른 점'이 알맞습니다.

7 축구와 야구는 여럿이 한 팀이 되어 공을 가지고 하는 운동 경기란 점이 비슷합니다.

8 설명문을 '처음-가운데-끝'으로 구성할 때, 처음 부분에서는 읽는 사람의 흥미를 끌어야 하고, 자신이 무엇을 설명할 것인지를 밝혀야 합니다. 그리고 끝 부분에서는 설명한 내용을 간단히 요약하고 마무리하여 정리해야 합니다.

9 상호는 설명문을 마무리하여 정리하였고, 서영이는 읽는 사람의 흥미를 끄는 말을 쓰고 무엇을 설명할 것인지를 밝혔습니다.

(**왜 틀렸을까?**)
서영이가 쓴 내용은 설명문의 처음 부분에 들어가기에 알맞은 내용입니다.

10 이 설명문의 처음 부분을 읽으면 앞으로 '방 정리 잘하는 방법'을 설명할 것임을 알 수 있습니다.

한 주 동안
수고했어요~!

52~53쪽   2주에는 무엇을 공부할까? ❷

1-1 (4) ×	1-2 인물, 사건, 장소
2-1 달래 ×	2-2 (1) 대화 (2) 사건

1-1 겪은 일에 나오는 인물, 사건, 때와 장소의 변화를 정리한 후 이야기로 바꾸어 씁니다.

1-2 '정훈, 지민, 소라'는 나오는 인물, '달리기 연습에서 ~ 넘어져서 다쳤다.'는 사건, '운동장→보건실'은 장소의 변화에 해당합니다.

2-1 겪은 일을 이야기로 바꾸어 쓸 때에는 인물의 이름을 바꾸거나 사건을 조금 지어 써도 됩니다.

2-2 인물이 말한 내용을 대화 글로 쓰거나 사건을 지어서 쓰는 방법으로 겪은 일을 이야기로 바꾸어 쓸 수 있습니다.

1일

55쪽   똑똑한 하루 글쓰기 미리 보기

56~57쪽   똑똑한 하루 글쓰기

1 동물원

2 판판이 판다 우리를 열고 판다들을 탈출시켰다.

3
"밤	톨	,	달	래	,	기	찬	,	글	붓	,	판
판	이	∨	일	요	일	에	∨	동	물	원	에	∨	갔
는	데	,	"판	판	이	∨	판	다	∨	우	리	를	∨
열	고	∨	판	다	들	을	∨	탈	출	시	켰	다	.

1 사건이 일어난 때와 장소를 합쳐 배경이라고 합니다. 빈칸에는 사건이 일어난 장소를 쓰는 것이 알맞습니다. 달래의 말로 보아, 사건이 일어난 장소는 동물원이라는 것을 알 수 있습니다.

2 그림에서 판판이 무엇을 하고 있는지 살펴봅니다.

3 **1**과 **2**의 내용을 정리하여 겪은 일을 써 봅니다.

> **채점 기준**
> 인물, 사건, 배경이 모두 드러나도록 겪은 일을 잘 정리하여 썼으면 정답으로 합니다.

58쪽   똑똑한 하루 글쓰기 고쳐쓰기

1 (1) 동그래졌다 (2) 둥그레졌다

2
오	랜	만	에	∨	동	물	원	에	∨	오	니	까	∨
재	미	있	다	.	오	랫	동	안	∨	놀	다	∨	가
자	.										

1 (1) 모음자 'ㅗ'는 'ㅐ'와 어울립니다.
(2) 모음자 'ㅜ'는 'ㅔ'와 어울립니다.

> { 더 알아보기 }
> (1)과 (2)는 뒤의 모음자가 앞 모음자의 영향으로 그와 가깝거나 같은 소리로 되는 현상이 일어나는 낱말입니다.

2 '오래간만'에서 줄어든 '오랜만'은 '래'에 ㄴ 받침을 쓰고, 기간의 뜻이 담겨 있는 '오랫동안'은 '래'에 ㅅ 받침을 씁니다.

59쪽   똑똑한 하루 글쓰기 마무리

예) 선주와 동생은 일요일에 야구장에 가서 열심히 응원을 하고, 좋아하는 선수에게 사인도 받았다.

예) 민호와 유진이는 토요일에 뒷산에 올랐는데 민호가 발을 삐끗하여 발목을 다쳤다.

○ 인물, 사건, 배경이 모두 잘 드러나게 씁니다.

> **채점 기준**

구분	답안 내용	
평가 기준	인물, 사건, 배경이 잘 드러나게 겪은 일을 썼습니다.	상
	인물, 사건, 배경이 드러나지만 잘 어울리지 않게 썼습니다.	중
	인물, 사건, 배경 중에서 빠진 내용이 있습니다.	하

2일

61쪽 똑똑한 하루 글쓰기 미리 보기

인물

62~63쪽 똑똑한 하루 글쓰기

1 석진이는 얼굴이 둥글고 머리카락이 갈색이다.
2 석진이의 성격은 밝고 활달하다. 또 봉사정신도 강한 친구이다.
3

석	진	이	는	∨	얼	굴	이	∨	둥	글	고	∨
머	리	카	락	이	∨	갈	색	이	다	.	성	격	은	∨
밝	고	∨	활	달	하	다	.	또	∨	봉	사	∨	정
신	도	∨	강	한	∨	친	구	이	다	.

1 석진이의 생김새를 보고 알맞은 얼굴 모양과 머리카락 색깔을 찾아 씁니다.

2 보기 의 말을 알맞게 연결하여 석진이의 성격을 씁니다.

3 석진이의 생김새와 성격이 잘 드러나게 써서 인물을 자세하게 설명합니다.

> **채점 기준**
> 석진이를 자세하게 설명하는 내용으로 썼으면 정답으로 합니다.

64쪽 똑똑한 하루 글쓰기 고쳐쓰기

1 (1) 곱슬머리 (2) 머리카락
2

주	희	는	∨	엉	뚱	하	면	서	도	∨	재	미
있	게	∨	말	해	서	∨	분	위	기	를	∨	밝	게	∨
만	들	어	∨	주	는	∨	친	구	예	요	.

---

1 (1) '곱슬머리'를 '꼽슬머리'로 잘못 읽고 쓰는 경우가 있으므로 주의합니다.
　(2) '머리털의 낱개.'를 뜻하는 낱말은 '머리카락'입니다.

> **(왜 틀렸을까?)**
> '가락'은 '가늘고 길게 토막이 난 물건의 낱개.'를 뜻하는 말입니다. 하지만 '머리'와 합쳐 머리털의 낱개를 뜻할 때에는 '머리가락'이 아닌 '머리카락'이라고 써야 합니다.

2 '밝다'의 ㄺ 받침은 뒤에 'ㄱ'이 오면 [ㄹ]로 소리 나지만 쓸 때에는 ㄺ 받침을 살려 씁니다.

65쪽 똑똑한 하루 글쓰기 마무리

예

키	가	∨	크	고	∨	운	동	을	∨	잘	한	다	.
또	∨	신	중	하	고	∨	차	분	해	서	∨	실	수
를	∨	잘	∨	하	지	∨	않	는	다	.

예

키	가	∨	크	고	∨	운	동	을	∨	잘	한	다	.
또	∨	성	격	이	∨	호	탕	해	서	∨	어	떤
일	이	든	∨	시	원	시	원	하	게	∨	처	리	한
다	.

예

키	가	∨	작	고	∨	눈	,	∨	코	,	∨	입	이
큼	직	큼	직	하	다	.	또	∨	신	중	하	고
차	분	해	서	∨	실	수	를	∨	잘	∨	하	지
않	는	다	.

● 인물의 생김새에서 한 가지 내용을 고르고, 인물의 성격에서 한 가지 내용을 골라 써 봅니다.

> **채점 기준**

구분	답안 내용	
평가 기준	인물의 생김새와 성격이 잘 드러나도록 알맞게 썼습니다.	상
	인물의 생김새와 성격이 드러나도록 썼지만 맞춤법이나 띄어쓰기에서 틀린 부분이 있습니다.	중
	인물의 생김새와 성격 중에서 빠진 내용이 있습니다.	하

3일

67쪽
똑똑한 하루 글쓰기 미리 보기

❶ 다 양
❷ 대 화 글
❸ 이 름

(키보드 그림)
별 명 **다** **양**
소 시 과 **대**
일 요 특 **화**
이 **름** 징 **글**

68~69쪽
똑똑한 하루 글쓰기

1 그때 어떤 할머니께서 빠르게 다가오셨다.
"예끼, 이놈들아! 왜 남의 포 도 를 따고 그러냐?"
2 "예 지 수 아/야, 다 른 사 람 이 애 써 기 른 작 물 을 함 부 로 따 면 안 된단다."
3 그때 어떤 할머니께서 빠르게 다가오셨다.
"❶ 예 예끼, 이놈들아! 왜 남의 포도를 따고 그러냐?"
저녁이 되어 이웃집 할머니께 이야기를 들은 할아버지께서는
"❷ 예 지수야, 다른 사람이 애써 기른 작물을 함부로 따면 안 된단다."
하고 말씀하셨다.

1 대화 글을 넣어 바꾸어 쓸 때 누가 어떤 말을 하였는지 떠올리며 씁니다.

(더 알아보기)
대화 글을 쓸 때에는 큰따옴표(" ")를 사용합니다.

2 할아버지께서 하신 말씀의 내용이 잘 드러나도록 대화 글로 바꾸어 보고, '나'의 이름도 지어 써 봅니다.

3 인물의 이름을 바꾸고, 대화 글을 넣어서 일어난 일의 한 부분을 바꾸어 써 봅니다.

채점 기준
'나'의 이름을 바꾸고, 대화 글을 알맞게 썼으면 정답으로 합니다.

70쪽
똑똑한 하루 글쓰기 고쳐쓰기

1 널따란
2 밤 톨 이 가 ∨ 포 도 를 ∨ 통 째 로 ∨ 따 더 니 ∨ 통 째 로 ∨ 먹 어 ∨ 치 웠 어 .

1 '꽤 넓은.'이라는 뜻을 가지는 낱말로 알맞은 것은 '널따란'입니다. '넓다란'은 '널따란'을 잘못 쓴 것입니다.

2 '통' 뒤에는 '그대로', '전부'의 뜻을 더하는 '째'를 붙여 써야 합니다. '통채로'는 '통째로'를 잘못 쓴 것입니다.

71쪽
똑똑한 하루 글쓰기 마무리

오늘 새 친구가 전학을 왔다. 선생님께서 전학 온 친구에게 자기소개를 시키셨다.
"안녕하세요? 저는 충주에서 온 ❶ 예 진성준(이)라고 합니다."
선생님께서는 새 친구를 내 옆자리에 앉게 하셨다. 나는 새 친구에게 내 소개를 하였다.
"❷ 예 안녕? 내 이름은 한예승이야. 반가워."
학교를 마치고 집에 오는 길에 다시 그 아이를 만났다.
"어? ❸ 예 성준아/야, 여기는 웬일이니?"
"응, ❹ 예 저 골목 끝에 있는 집이 우리 집이야. 지난주에 이사 왔어."
"그랬구나. 그럼 우리 앞으로 친하게 지낼 수 있겠다."

◉ 인물의 이름을 바꾸고, 알맞은 대화 글을 넣어 이야기를 자연스럽고 재미있게 바꾸어 씁니다.

채점 기준

구분	답안 내용	
평가 기준	인물의 이름을 바꾸고, 알맞은 대화 글을 넣어 자연스럽게 썼습니다.	상
	인물의 이름을 바꾸고 대화 글을 넣어 썼지만 자연스럽지 않은 부분이 있습니다.	중
	인물의 이름을 그대로 썼거나 알맞지 않은 대화 글을 넣어 썼습니다.	하

4일

73쪽

 – 차 례, – 지 어 서,

– 기 간

74~75쪽

1 기찬이는 옥 수 수 수 염 이 달린 옥수수를 보고 기절하였다.

2 알고 보니 전날 밤 기찬이가 무 서 운 영 화 를 보고 자서 긴 머 리 를 늘 어 뜨 린 귀 신 꿈 을 꾸었던 것이었다.

3 기찬이는 ❶ 예 옥수수수염이 달린 옥수수를 보고 기절하였다. 알고 보니 ❷ 전날 밤 기찬이가 무서운 영화를 보고 자서 긴 머리를 늘어뜨린 귀신 꿈을 꾸었던 것이었다.

1 기찬이가 귀신 꿈을 꾸고 이튿날 기절한 차례로 일이 일어났지만, 기찬이가 옥수수를 보고 기절한 일을 먼저 쓰는 것으로 일의 차례를 바꾸어 썼습니다.

(더 알아보기)
기찬이가 옥수수를 보고 기절한 까닭
옥수수수염이 전날 자신이 꿈에서 보았던 귀신의 긴 머리와 닮았기 때문입니다.

2 판관이는 기찬이가 귀신 꿈을 꾼 까닭에 대해 지어 쓰고 싶어 합니다.

3 일어난 일의 차례를 바꾸고, 일어나지 않은 사건을 지은 **1**과 **2**의 내용을 바탕으로 하여 이야기를 바꾸어 씁니다.

채점 기준
기찬이에게 일어난 일의 차례를 바꾸어 쓰고, 흐름이 자연스럽게 이어지도록 내용을 지어서 더하여 썼으면 정답으로 합니다.

76쪽

1 (1) 이 튼 날 (2) 삶 아

2 알 고 ∨ 보 니 ∨ 전 날 ∨ 밤 ∨ 기 찬 이 가 ∨ 긴 ∨ 머 리 를 ∨ 늘 어 뜨 린 ∨ 귀 신 ∨ 꿈 을 ∨ 꾸 었 던 ∨ 것 이 다 .

1 (1) '어떤 일이 있은 그다음의 날.'을 뜻하는 낱말은 '이튿날'입니다. '이틀'은 '하루가 두 번 있는 시간의 길이.'를 뜻하는 낱말이므로 '이틀날'이라고 쓰지 않도록 주의하여야 합니다.

(2) '물에 넣고 끓이다.'라는 뜻을 가진 낱말은 '삶다'입니다. '삶' 뒤에 '아'가 오면 [살마]라고 소리 나지만 '삶아'로 써야 합니다.

2 '뜨리다'는 앞말에 붙여 써서 '강조'의 뜻을 더합니다.

(더 알아보기)
'−뜨리다'가 쓰인 낱말 더 찾아보기 예
깨뜨리다, 밀어뜨리다, 꺼뜨리다, 넘어뜨리다, 떨어뜨리다.

77쪽

❶ 달리기 대회에서 일 등으로 달리던 호석이가 넘어졌다. 일어나서 다시 달려도 꼴찌를 할 것 같았지만 포기하고 싶지 않았다. 호석이는 지난 일주일을 떠올렸다.
❷ 호석이는 매일 빠뜨리지 않고 달리기 연습을 열심히 했다. 시간이 날 때마다 운동장을 달리고 또 달렸었다.
❸ 호석이는 일어나 최선을 다해 다시 달리기 시작했다.

◯ 그림의 차례와 어울리도록 알맞은 내용을 **보기** 에서 골라 차례대로 씁니다.

채점 기준

구분	답안 내용	
평가 기준	그림의 차례와 어울리는 내용으로 ❶~❸을 모두 알맞게 썼습니다.	상
	그림의 차례와 어울리는 내용으로 ❶~❸을 썼지만 맞춤법이 틀린 부분이 있습니다.	중
	그림의 차례와 어울리는 내용을 ❶~❸ 중 한 가지만 알맞게 썼습니다.	하

5일

79쪽

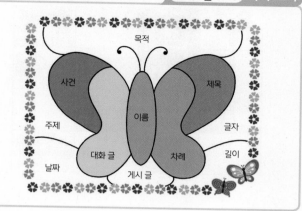

80~81쪽

1 기찬이네 반이 옆 반과 축구 시합을 하였다. 기찬이가 공을 잡자 친구들이 응원해 주었다.

"기찬아, 힘 내 라 !"

2 기찬이는 수 비 수 를 멋 지 게 따 돌 리 고 골을 넣었다.

3 기찬이네 반이 옆 반과 축구 시합을 하였다. 기찬이가 공을 잡자 친구들이 응원해 주었다.

❶ 예 "기찬아, 힘내라!"

기찬이는 ❷ 예 수비수를 멋지게 따돌리고 골을 넣었다.

"우아, 기찬이 정말 멋지다."

"기찬이 덕분에 우리 반이 이겼어."

친구들의 칭찬에 기찬이는 하늘을 날아갈 것 같이 기뻤고, 자신이 정말 자랑스러웠다.

1 친구들은 기찬이에게 힘내라며 응원해 주었습니다.

2 일어난 일을 이야기로 바꾸어 쓸 때 사건을 조금 지어서 쓸 수도 있습니다. 기찬이가 수비수를 멋지게 따돌리는 그림에 어울리는 내용을 글로 표현합니다.

3 **1**과 **2**에서 답한 내용을 이용하여 이야기를 바꾸어 씁니다.

대화 글과 지어 쓴 내용을 알맞게 넣었으면 정답입니다.

82쪽

1 (1) 웬 일 (2) 왠 지

2

오	늘	∨	축	구	∨	시	합	에	서	∨	기	찬
이	가	∨	맹	활	약	을	∨	하	자	∨	친	구	들
이	∨	멋	지	다	고	∨	칭	찬	해	∨	주	었	다	.

1 '웬일'은 '어찌 된.'을 뜻하는 '웬'과 '일'이 합쳐진 낱말이고, '왠지'는 '왜인지'가 줄어든 말이므로 '왠일', '웬지'로 쓰는 것은 잘못입니다.

2 모음자와 받침을 바르게 살려 '맹활약', '칭찬해'를 씁니다.

〔 더 알아보기 〕

'맹활약'은 [맹화략]으로 소리 납니다.

83쪽

예

민호야, 미안해

동생 민호가 오른손에 깁스를 하고 왼손으로 힘들게 글씨를 썼다.

나는 일주일 전에 공원에서 민호에게 자전거 타는 법을 가르쳐 주었다. 그런데 잠깐 한눈을 판 사이에 민호가 넘어져서 팔을 다친 것이다. 나는 민호에게 너무 미안했다.

"민호야, 형이 도와줄까?"

"괜찮아. 나 혼자서도 할 수 있어."

"알았어. 혹시 형이 도와줄 일 있으면 언제든지 얘기해."

착하고 배려심이 깊은 민호는 나를 보며 밝게 웃었다.

○ 겪은 일을 이야기로 바꾸어 쓰는 방법을 생각하며 한 편의 이야기를 완성해 봅니다.

구분	답안 내용	
평가 기준	겪은 일을 이야기로 알맞게 바꾸어 썼고, 어울리는 제목도 썼습니다.	상
	겪은 일을 이야기로 알맞게 바꾸어 썼지만 어울리지 않는 제목을 썼습니다.	중
	바꾸어 쓴 이야기의 흐름이 자연스럽지 않고, 어울리지 않는 제목을 썼습니다.	하

특강 · 똑똑한 하루 창의·융합·코딩

85쪽

"손 바 닥 으 로 하 늘 가 리 기"라더니, 이 러면 엄마가 모를 줄 알았니?

86쪽

○ '여러 사람이 모여 소란스럽게 떠드는 소리가 자꾸 나다.'라는 뜻의 낱말은 '웅성거리다', '다니던 학교 에서 다른 학교로 옮겨 가서 배움.'이라는 뜻의 낱말 은 '전학', '논밭에 심어 가꾸는 곡식이나 채소.'라는 뜻의 낱말은 '작물', '두려움, 놀람, 충격 따위로 한동 안 정신을 잃음.'이라는 뜻의 낱말은 '기절'입니다.

87쪽

코딩 명령

▶ 시작하기 버튼을 클릭했을 때
3 번 반복하기
↓ 방향으로 1 칸 움직이기
→ 방향으로 1 칸 움직이기

○ 지수와 동생은 ↓ 방향으로 1칸, → 방향으로 1칸씩 3번 반복해야 포도밭, 고추밭, 할아버지 댁 순서로 갈 수 있습니다.

88쪽

89쪽

기찬이네 반 12 : 6 옆 반

○ 기찬이는 세 골을 넣었고, 기찬이네 반이 기찬이가 넣은 골의 네 배를 넣었습니다. 그러므로 기찬이네 반이 얻은 점수는 3×4=12입니다. 옆 반은 기찬이 네 반이 넣은 골의 절반을 넣었습니다. 그러므로 옆 반이 얻은 점수는 12÷2=6입니다.

평가 · 누구나 100점 테스트

90~91쪽

1 (1) ② (2) ③ (3) ① **2** (1) 주희 (2) 설아
3 ㉤ **4** (2) ○
5

"지	수	야	,	다	른	∨
사	람	이	∨	애	써	∨
기	른	∨	작	물	을	∨
함	부	로	∨	따	면	∨
안	∨	된	단	다	.	"

6 귀신 **7** ❺, ❻, ❷, ❸
8 이틀날 → 이튿날
9

옆	∨	반	과	∨	축	구	∨
시	합	을	∨	하	였	는	데	∨
기	찬	이	가	∨	골	을	∨
넣	어	서	∨	이	겼	다	.

10 (2) ○

---

1 '일요일, 놀이공원'은 일이 일어난 때와 장소인 '배경'이고, '민정, 승호, 기우'는 일을 겪은 '인물'입니다. '길을 잃어버렸다.'는 인물이 겪은 '사건'입니다.

2 (1)의 인물은 축구공을 들고 운동복을 입은 모습으로 보아 주희이고, (2)의 인물은 얼굴이 길고 곱슬머리인 것으로 보아 설아입니다.

3 ㉠은 ㉤을 잘못 소리 낸 것입니다. '곱슬머리'는 '고불고불하게 말려 있는 머리털. 또는 그런 머리털을 가진 사람.'을 뜻하는 말입니다. '곱슬머리'라고 쓰고 [곱쓸머리]라고 읽습니다.

(더 알아보기)
첫소리가 쌍자음이 아니지만 쌍자음으로 잘못 소리 내는 경우가 있으므로 발음과 표기에 모두 주의해야 합니다.

4 왜 남의 포도를 따느냐며 야단치셨다고 하였기 때문에 대화 글로 바꿀 때에도 야단치는 내용이어야 합니다.

5 할아버지께서 하신 말씀의 내용을 잘 살펴보고 알맞은 대화 글로 옮겨 봅니다.

6 기찬이는 옥수수수염을 보자 전날 밤 꿈에서 본 긴 머리를 늘어뜨린 귀신인 줄 알고 기절하였습니다.

7 바꾸어 쓴 글에서는 이튿날에 일어난 일을 앞부분에 썼습니다.

(더 알아보기)
일어난 일을 이야기로 바꾸어 쓸 때에는 이야기의 재미를 위해서 일어난 일의 차례를 바꾸거나 사건을 지어낼 수 있습니다.

8 '어떤 일이 있은 그다음의 날.'을 뜻하는 낱말은 '이튿날'입니다.

9 이 이야기에는 기찬이네 반이 옆 반과 축구 시합을 하여 기찬이가 골을 넣은 일이 나타나 있습니다.

10 이 글은 축구 시합에서 기찬이가 골을 넣어 옆 반에 이겼다는 내용의 이야기입니다. 이 이야기에 어울리는 제목은 '기찬이의 맹활약'입니다.

(더 알아보기)
제목은 이야기의 내용과 어울리도록 지어 써야 합니다. 또, 글쓴이의 생각을 드러낼 수 있는 제목으로 쓰는 것도 좋습니다.

한 주 동안
수고했어요~!

94~95쪽 3주에는 무엇을 공부할까? ❷

1-1 (3) ○   1-2 진행자의 도입
2-1 (3) ×   2-2 인터뷰, 시청자, 이해

1-1 진행자의 도입은 기자의 보도를 시작하기 전에 보도할 내용을 유도하거나 전체 내용을 요약해 안내합니다.

1-2 진행자는 기자가 군것질에 대한 내용을 보도할 것이라고 유도하고 있습니다.

2-1 보도 전체 내용을 요약하거나 핵심 내용을 강조하는 것은 기자의 마무리 부분입니다.

2-2 보건 선생님을 직접 인터뷰하여서 시청자가 더욱 이해하기 쉽게 하였습니다.

97쪽 똑똑한 하루 글쓰기 미리 보기

❶ 뉴스
❷ 도입
❸ 요약

98~99쪽 똑똑한 하루 글쓰기

1 우리 마을에 직업 체험 장 이 생겼다는 소식

2 ❶ 여러분, 다 양 한 직업에 대 해 궁금하신 점이 많죠?

❷ 우리 마을에 직업 체험 장이 생 겼 다는 소식을 달래 기자가 취재했습니다.

3

여	러	분	,		다	양	한	V	직	업	에	V	대
해	V	궁	금	하	신	V	점	이	V	많	죠	?	V
우	리	V	마	을	에	V	직	업	V	체	험	장	이	V
생	겼	다	는	V	소	식	을	V	달	래	V	기	자
가	V	취	재	했	습	니	다	.					

1 밤톨이가 우리 마을에 직업 체험장이 생겼다는 소식을 뉴스로 알려 주면 좋겠다고 하였습니다.

2 시청자들이 궁금해할 만한 내용이 무엇인지, 그것에 어울리는 내용이 무엇일지 찾아 씁니다.

3 **2**의 내용을 이용하여 보도할 내용을 유도하거나 전체 내용을 요약해 안내하는 내용을 씁니다.

> **채점 기준**
> 진행자의 도입에 알맞은 내용을 바르게 썼으면 정답으로 합니다.

100쪽 똑똑한 하루 글쓰기 고쳐쓰기

1 이렇게

2

	도	우	미	V	선	생	님	께	서	는	V	금	일	V
여	러	V	가	지	V	직	업	을	V	경	험	해	V	
보	고	V	우	리	들	의	V	꿈	을	V	키	우	라	
고	V	하	셨	다	.									

1 '이러케'는 '이렇게'의 'ㅎ'과 'ㄱ'이 합쳐져 [이러케]로 소리 난 것을 그대로 쓴 것입니다.

2 각각 '금일', '경험'과 뜻이 비슷합니다.

101쪽 똑똑한 하루 글쓰기 마무리

	어	떻	게		하	면		학	교		앞		교
통	사	고	를		예	방	할		수		있	는	지
알	아	보	겠	습	니	다	.						

⊙ 있었던 일과 어울리는 내용을 고릅니다.

> **채점 기준**

구분	답안 내용	
평가 기준	교통사고에 대한 내용을 골라 썼습니다.	상
	교통사고에 대한 내용을 썼지만 띄어쓰기나 맞춤법이 틀린 부분이 있습니다.	중
	교통사고에 대한 내용을 쓰지 못하였습니다.	하

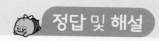

2일

 - 정보, 🐼 - 가치,

😄 - 이해

1 마을 도서관 이 개관한 일

2 ❶ 새로운 도서관은 무인 단말기로 운영되며, 매주 독서 토론을 개최합니다.

　❷ 천재마을 주민이면 누구나 무료로 이용이 가능하고, 일요일과 공휴일은 이용할 수 없습니다.

3 마을 도서관이 개관하였습니다. 새로운 도서관은 **❶** 예 무인 단말기로 운영되며, 매주 독서 토론을 개최합니다. 천재마을 주민이면 누구나 **❷** 예 무료로 이용이 가능하고, 일요일과 공휴일은 이용할 수 없습니다.

1 가치 있고 중요한 사건이나 정보가 되려면 많은 사람에게 알려야 하는 사건이나, 많은 사람에게 도움이 되는 정보여야 합니다. 마을 도서관 개관 소식이 가치 있고 중요한 정보입니다.

> **〔 왜 틀렸을까? 〕**
> 마을에 피시방이 생기는 일은 가치있고 중요한 정보가 아닙니다.

2 기자의 보도 내용을 쓸 때에는 자세하고 이해하기 쉽게 써야 합니다. 새로운 도서관의 특징과 이용 방법으로 알맞은 내용을 각각 골라 씁니다.

3 마을에 새로 생긴 도서관에 대한 정보를 시청자가 알 수 있도록 자세하고 이해하기 쉽게 씁니다. 도서관의 특징과 이용 방법이 잘 드러나야 합니다.

> **채점 기준**
> 새로 생긴 마을 도서관의 특징과 이용 방법을 자세하고 이해하기 쉽게 썼으면 정답으로 합니다.

1 지난주에 우리 마을에 새로운 도서관이 개 관 하였다.

2

천	재	마	을	∨	주	민	이	면	∨	누	구	나	∨
무	료	로	∨	이	용	이	∨	가	능	하	고	,	일
요	일	과	∨	공	휴	일	은	∨	이	용	할	∨	수	∨
없	습	니	다	.									

1 마을에 새로운 도서관이 문을 연 것이므로 '개관'이 알맞습니다.

2 둘 이상의 사물이나 사람을 같은 자격으로 이어 줄 때에, 받침이 있는 말 뒤에는 '과'를 쓰고, 받침이 없는 말 뒤에는 '와'를 씁니다. '없습니다'는 'ㅄ' 받침에 주의하여 씁니다.

　이번에 청주에서 열린 **❶** 예 '제17회 초등학생 탁구 대회'에서 천재초등학교의 이다솜 학생이 우승을, **❷** 예 하루초등학교의 정지우 학생이 준우승을 차지하였습니다. 우승을 한 이다솜 학생은 "**❸** 예 이번 우승에 만족하지 않고 우리나라의 국가 대표가 되도록 더욱 노력하겠습니다."라고 우승 소감을 말하였습니다.

○ 탁구 대회의 이름, 준우승을 한 학생의 학교와 이름, 우승자 이다솜 학생의 인터뷰 내용을 그림에서 찾아 기자의 보도 내용을 완성합니다.

구분	답안 내용	
평가 기준	세 가지 내용을 모두 정확하게 찾아 뉴스 원고를 완성하였습니다.	상
	세 가지 내용 중 두 가지만 찾아 뉴스 원고를 완성하였습니다.	중
	세 가지 내용 중 한 가지만 찾아 뉴스 원고를 완성하였습니다.	하

채점 기준

3일

109쪽

똑똑한 **하루 글쓰기** 미리 보기

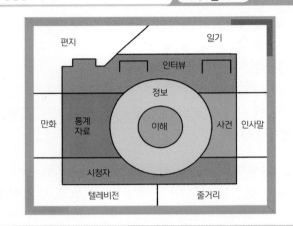

110~111쪽

똑똑한 **하루 글쓰기**

1 통계청의 통 계 자 료 에 따르면 10대의 일주일 평균 인터넷 이용 시간은 20○○년 17.6시간에서 20△△년 27.6시간으로 10시간이 증가하였습니다.

2 청 소 년 보 호 담 당 공 무 원 은 "미디어를 이용하는 나이가 낮아지기 시작하면서 초등학생 때부터 스마트폰을 이용하는 시간이 늘어나기 시작한 것 같다." 라고 하였습니다.

3 ❶ 예 통계청의 통계 자료에 따르면 10대의 일주일 평균 인터넷 이용 시간은 20○○년 17.6시간에서 20△△년 27.6시간으로 10시간이 증가하였습니다.

이에 대하여 ❷ 예 청소년 보호 담당 공무원은 "미디어를 이용하는 나이가 낮아지기 시작하면서 초등학생 때부터 스마트폰을 이용하는 시간이 늘어나기 시작한 것 같다." 라고 하였습니다.

1 그래프의 아래에 '20△△년 통계청 통계 자료'라고 적힌 것에서 통계 자료를 이용하여 쓴 것을 알 수 있습니다.

2 인터뷰 자료를 이용할 때 인터뷰 대상은 시청자가 신뢰할 수 있는 전문가로 정하는 것이 좋습니다.

3 **1**과 **2**에서 쓴 통계 자료와 인터뷰 자료를 구분하고, 시청자가 사건이나 정보를 더 쉽게 이해할 수 있도록 각 자료를 알맞게 씁니다.

채점 기준

통계 자료와 인터뷰 자료를 바르게 이용하여 기자의 보도 내용을 썼으면 정답으로 합니다.

112쪽

똑똑한 **하루 글쓰기** 고쳐쓰기

1 통계 자료에 의하면 10대의 일주일 평균 인터넷 이용 시간은 10시간이 증가하였습니다.

2 ㅤ지 나 친 ∨ 스 마 트 폰 ∨ 이 용 으 로 ∨ 조 절 력 이 ∨ 줄 어 들 어 ∨ 여 러 ∨ 가 지 ∨ 문 제 를 ∨ 경 험 하 게 ∨ 됩 니 다 .

1 '어떤 경우, 사실이나 기준 따위에 의거하면.'이라는 뜻의 '따르면' 대신에 바꿔 쓸 수 있는 말은 '의하면' 입니다.

2 '과도한'은 '정도에 지나친.'을 뜻하고, '감소하여'는 '양이나 수치가 줄어. 또는 양이나 수치를 줄여.'를 뜻합니다.

113쪽

똑똑한 **하루 글쓰기** 마무리

김지수(6학년): ❶ 제가 우리 학교에서 책을 가장 많이 읽었다는 것이 기뻐요. 앞으로도 책을 많이 읽고, 배운 것을 생활에서 실천하도록 노력할 거예요.

5학년 3반 담임 선생님: 아이들에게 숙제를 내 주면서 인터넷보다는 책에서 자료를 찾아보도록 권유했습니다. ❷ 무엇보다 아이들이 좋은 독서 습관을 가지게 되어 기쁩니다.

◉ 김지수 학생의 인터뷰 내용과 5학년 3반 담임 선생님의 인터뷰 내용을 바르게 구분하여 씁니다.

구분	답안 내용	
평가 기준	두 사람의 인터뷰 내용을 바르게 구분하여 썼습니다.	상
	두 사람의 인터뷰 내용을 구분하여 썼지만 띄어쓰기나 맞춤법에 틀린 부분이 있습니다.	중
	두 사람의 인터뷰 내용을 구분하지 못하였습니다.	하

4일

115쪽 하루 글쓰기 미리 보기

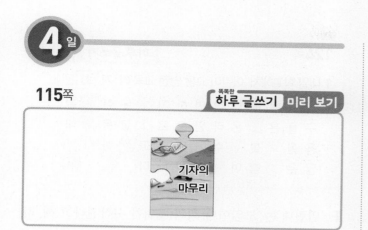

기자의 마무리

116~117쪽 하루 글쓰기

1 소아 **비** **만**이 학생들의 건강을 해치고 있습니다.

2 건강을 위해 **올** **바** **른** **식** **습** **관** **을** **가** **지** **는** **것**이 무엇보다 중요하겠습니다.

3

소	아	∨	비	만	이	∨	학	생	들	의	∨	건
강	을	∨	해	치	고	∨	있	습	니	다	.	건	강
을	∨	위	해	∨	올	바	른	∨	식	습	관	을	∨
가	지	는	∨	것	이	∨	무	엇	보	다	∨	중	요
하	겠	습	니	다	.								

1 뉴스를 본 여자아이가 소아 비만이 큰 문제라고 하였으므로 소아 비만이 학생들의 건강을 해치고 있다는 내용이 어울립니다.

2 소아 비만을 예방하고 건강을 지키는 방법을 골라야 합니다. 햄버거는 대표적인 패스트푸드 음식으로, 아이들이 줄여야 할 음식입니다.

3 기자의 마무리 내용을 쓰는 문제입니다. **1**과 **2**의 내용을 이용하여 보도의 전체 내용을 요약하고 핵심 내용을 강조하며 마칩니다.

채점 기준

기자의 마무리 내용으로 소아 비만이 학생들의 건강을 해치고 있다는 문제 상황과 소아 비만을 예방하고 건강을 지키기 위한 해결 방법을 간단하게 요약하고 강조하는 내용을 썼으면 정답으로 합니다.

118쪽 하루 글쓰기 고쳐쓰기

1 (1) 늘 렸 다 (2) 늘 였 다

2

소	아	∨	비	만	은	∨	성	인	병	의	∨	원
인	이	∨	될	∨	수	∨	있	기	∨	때	문	에	∨
식	습	관	을	∨	조	절	하	는	∨	것	이	∨	중
요	합	니	다	.									

1 식사를 할 때 먹는 야채를 늘리는 것은 양을 많게 하는 것이기 때문에 '늘리다'를 쓰고, 고무줄을 늘이는 것은 길이를 길게 하는 것이기 때문에 '늘이다'를 써야 합니다.

(왜 틀렸을까?)

'늘이다'와 '늘리다'를 구분하여 쓰려면 대상의 수나 양을 많게 하는 것인지, 길이를 길게 하는 것인지 생각하여야 합니다.

2 두 문장을 '결과-원인'의 차례로 나타낼 때에는 '왜냐하면 ~ 때문이다'와 같은 표현을 사용합니다. 이것을 '원인-결과'의 차례로 바꾸어 한 문장으로 나타낼 때에는 '때문에'를 사용할 수 있습니다.

119쪽 하루 글쓰기 마무리

자연을 접하기 힘든 도시 아이들에게 학교 텃밭은 소중한 생태 교육의 장이 되고 있습니다. 정지우 기자였습니다.

○ 기자의 보도 내용을 요약하고 핵심 내용을 강조하는 기자의 마무리 내용을 골라야 합니다. '오늘은 천재 초등학교에서 ~ 취재했습니다.'는 진행자의 도입 내용으로 알맞습니다.

채점 기준

구분	답안 내용	
평가 기준	기자의 마무리 내용을 골라 바르게 썼습니다.	상
	기자의 마무리에 해당하는 내용을 골라 썼지만 틀린 표현이나 글자가 있습니다.	중
	기자의 마무리 내용을 골라 쓰지 못하였습니다.	하

5일

121쪽 — 똑똑한 하루 글쓰기 미리 보기

 진행자의 도입에서는 보도할 내용을 [유][도]하거나 전체를 요약해 안내해요.

 기자의 보도에서는 시청자에게 전하고 싶은 사건이나 정보를 [인][터][뷰]나 통계 자료를 활용하여 전달해요.

 기자의 마무리에서는 보도 전체 내용을 요약하거나 핵심 내용을 [강][조]해요.

122~123쪽 — 똑똑한 하루 글쓰기

1 학교에서 '어린이 [교][통][안][전] 교육'이 열려 기찬 기자가 취재했습니다.

2 ❶ 최근 5년간 어린이 교통사고를 분석한 결과, 어린이들이 등교하는 3월에는 그러지 않은 2월보다 [교][통][사][고][가][크][게][증][가]했다고 합니다.

❷ 교장 선생님께서는 안전 교육을 통해 학생들의 [교][통][사][고][가][줄][어][들][것]이라 생각한다고 말씀하셨습니다.

3 예 <u>어린이 교통 안전 교육은 어린이를 더욱 안전하게 지켜 줄 것입니다. 지금까지 기찬 기자였습니다.</u>

예 <u>학교에서 열리는 어린이 교통 안전 교육으로 어린이 교통사고가 줄어들길 바랍니다. 지금까지 기찬 기자였습니다.</u>

1 진행자의 도입에서는 보도할 내용이 무엇인지가 잘 드러나야 합니다.

2 기자의 보도에서는 시청자가 쉽게 이해할 수 있도록 통계 자료나 인터뷰 자료를 사용합니다.

3 기자의 마무리에서는 전체 보도 내용을 요약하고 핵심 내용을 강조합니다.

채점 기준

보도 전체 내용을 요약하거나 핵심 내용을 강조해서 썼으면 정답으로 합니다.

124쪽 — 똑똑한 하루 글쓰기 고쳐쓰기

1 내일 학교에서 '어린이 교통 안전 교육'이 [개][최]된대.

2
교	육	에	∨	참	여	하	지	∨	못	한	∨	친
구	들	은	∨	온	라	인	으	로	∨	교	육	내
용	을	∨	볼	∨	수	∨	있	다	고	∨	하	니	∨
많	은	∨	참	여	∨	바	랍	니	다	.		

1 '열린대'는 '모임이나 회의 따위가 시작된다고 해.'라는 뜻입니다. 이 말과 바꿔 쓰기에 알맞은 말은 '개최된대'입니다.

2 앞말이 뜻하는 상태에 미치지 않을 때 '~지 못하다'라는 표현을 쓸 경우에 '못하다'는 붙여 쓰고, '볼 수 있다고'는 각각의 낱말을 모두 띄어 써야 합니다.

125쪽 — 똑똑한 하루 글쓰기 마무리

예
진행자의 도입	오늘 초등학생 건강 줄넘기 대회가 열렸다고 합니다. 어떤 대회였는지 알아보겠습니다.
기자의 보도	네, 저는 초등학생 건강 줄넘기 대회가 열리고 있는 천재체육관에 나와 있습니다. 대회는 줄넘기 오래 하기, 묘기 부리기, 단체전 종목으로 나누어 열렸습니다. 참가 선수의 말을 들어 보겠습니다. <인터뷰> 김지민: 줄넘기를 하면서 건강해졌는데요. 대회에 나와서 이렇게 여러 사람이 함께 하니까 더 재미있고 힘들지도 않아요.
기자의 마무리	건강과 재미를 모두 얻을 수 있는 줄넘기 대회 현장에서 취재 기자 박현수였습니다.

○ 각 부분의 특징에 알맞은 내용으로 원고를 씁니다.

채점 기준

구분	답안 내용	
평가 기준	각 부분에 알맞은 내용으로 뉴스 원고를 썼습니다.	상
	각 부분에 알맞은 내용을 썼지만 자연스럽지 않거나 틀린 표현이 있습니다.	중
	각 부분에 알맞은 내용을 쓰지 못하였습니다.	하

특강 똑똑한 하루 창의·융합·코딩

127쪽

"마른 하늘 에 날 벼 락"이라더니 걸어가다가 이게 웬일이람.

128쪽

- • 사람들에게 중요하거나 흥미로운 사건이나 정보를 때에 알맞게 보도하는 것.: 뉴스
- 여러 사물의 질이나 양 따위를 통일적으로 고르게 한 것.: 평균
- 변화의 움직임 따위가 급하고 격렬하게.: 급격히
- 도서관, 미술관, 영화관 따위가 일반에 대한 공개 업무를 하루 또는 한동안 쉼.: 휴관
- 정도에 지나친.: 과도한

129쪽

🐰 코딩 명령을 따라가면 선생님, 소 방 관, 승 무 원 이 하는 일을 체험해 볼 수 있어요.

- 코딩 명령을 따라가면 선생님, 소방관, 승무원이 하는 일을 체험할 수 있습니다. 코딩 명령에 따라 이동하면 다음과 같습니다.

130쪽

- 조개, 미역, 소금은 바닷가에서 얻을 수 있습니다.

131쪽

🐰 승우가 일주일 동안 스마트폰을 사용한 시간은 모두 28 시간입니다. 일주일은 모두 7 일이므로, 28 을 7 로 나누어 보면, 승우의 하루 평균 스마트폰 이용 시간은 4 시간입니다.

- 일주일 동안 스마트폰을 사용한 총 시간을 계산할 때에는 덧셈을 사용하고, 하루 평균 스마트폰 이용 시간을 계산할 때에는 나눗셈을 사용합니다.

132~133쪽

1 뉴스　　　　　　　　**2** 소라

3 (2) ○　　　　　　　**4** (1) ②　(2) ①

5

10	대	의	∨	일	주	일	∨	
평	균	∨	인	터	넷	∨	이	
용	∨	시	간	은	∨	10	시	
간	이	∨	증	가	하	였	습	
니	다	.						

6 늘리고　　　　　　　**7** (2) ○

8 ㉢, ㉠, ㉡　　　　　**9** 교장 선생님

10

어	린	이	∨	교	통	∨	
안	전	∨	교	육	은	∨	어
린	이	들	을	∨	더	욱	∨
안	전	하	게	∨	지	켜	∨
줄	∨	것	입	니	다	.	

1 사람들에게 중요하거나 흥미로운 사건이나 정보를 때에 알맞게 보도하는 것을 뉴스라고 합니다.

2 진행자의 도입에서는 기자의 보도 내용을 유도하거나 전체 내용을 요약해 안내합니다. 현우가 한 말은 기자의 마무리 내용으로 알맞습니다.

　(왜 틀렸을까?)
　현우는 보도 전체 내용을 요약하고 핵심 내용을 강조하며 보도를 마무리하는 말을 하였습니다.

3 토요일에는 오전 9시부터 오후 1시까지만 열기 때문에 저녁에는 도서관이 닫습니다. 일요일과 공휴일은 도서관이 휴관이기 때문에 이용할 수 없습니다.

4 '요즘 ~ 취재했습니다.'는 보도 내용을 유도하거나 전체 내용을 요약해 안내하는 진행자의 도입 부분이고, '지난 25일 ~ 늘었다고 밝혔습니다.'는 시청자에게 전달하고 싶은 내용인 기자의 보도 부분입니다.

5 10대 청소년들의 일주일 평균 스마트폰 평균 이용 시간이 늘었다는 기사이므로 '증가하였다'는 표현이 알맞습니다.

6 음식의 양을 많게 하는 것은 '늘리다'를 써야 합니다.

　(왜 틀렸을까?)
　'늘이다'는 길이를 길게 할 때 알맞은 낱말입니다.

7 ㉡에는 기자의 마무리 내용이 들어가야 합니다. 기자의 보도 내용을 요약하고 핵심 내용을 강조하는 내용은 (2)의 내용입니다.

8 뉴스 원고는 '진행자의 도입 – 기자의 보도 – 기자의 마무리' 차례대로 씁니다.

9 기자의 보도에서 기자는 교장 선생님을 인터뷰한 내용을 보도하였습니다.

　(왜 틀렸을까?)
　인터뷰한 내용을 전달하는 방법에는 인터뷰 영상을 직접 보여 주는 방식과 인터뷰한 내용을 요약해 기자가 전달하는 방식 두 가지가 있습니다.

10 이 뉴스는 학교에서 열린 '어린이 교통 안전 교육' 행사에 대해 취재하였습니다. 행사의 이름을 넣어 기자의 마무리 부분을 완성합니다.

한 주 동안
수고했어요~!

136~137쪽 | 4주에는 무엇을 공부할까? ❷

1-1 판판   1-2 (1) ○
2-1 호응   2-2 (3) ○

1-1 문단 수준에서 고쳐쓰기를 할 때에는 뒷받침 문장들과 어울리지 않는 중심 문장을 고쳐 쓸 수 있습니다. 뒷받침 문장들의 내용을 대표하는 문장이 되도록 중심 문장을 고쳐 씁니다.

1-2 근거에 나타난 뒷받침 문장들을 대표하는 중심 문장은 (1)입니다.

2-1 문장을 쓸 때에 서로 어울리는 말과 함께 쓰는 것을 '호응'이라고 합니다.

2-2 '크기가'와 '속도가'에 호응하는 말을 각각 바르게 써야 합니다.

1일

139쪽 | 똑똑한 하루 글쓰기 미리 보기

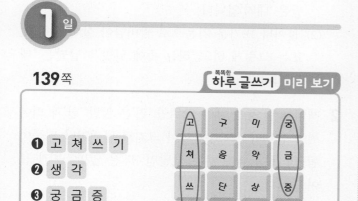

❶ 고쳐쓰기
❷ 생각
❸ 궁금증

140~141쪽 | 똑똑한 하루 글쓰기

1 (1) 텀블러를 들고 다니며 사용하면 좋겠다.
  (2) 친구들이 바르고 고운 말로 댓글을 달았으면 좋겠다.
2 ❶ 텀블러를 사용합시다
  ❷ 바르고 고운 말로 댓글을 달자

1 (1) 달래는 텀블러를 사용하면 환경 오염을 줄일 수 있다고 하였으므로, 사람들이 텀블러를 들고 다니며 사용하면 좋겠다고 생각할 것입니다.
  (2) 글봇은 글을 쓴 친구의 기분이 상하지 않도록 바르고 고운 말로 댓글을 달아야 한다고 하였습니다.

2 1에서 답한 달래와 글봇의 생각이 잘 드러나도록 글의 제목을 각각 고쳐 써 봅니다.

142쪽 | 똑똑한 하루 글쓰기 고쳐쓰기

1 카페 등에서 음료를 마실 때 플라스틱 컵을 많이 사용합니다.
2 비행 ∨ 시에는 ∨ 승무원의 ∨ 말을 ∨ 따라야 ∨ 한다.

1 '카페'와 '플라스틱'이 각각 알맞은 표기입니다.

〔 더 알아보기 〕

바른 외래어 표기 더 알아보기 예

틀린 표기	바른 표기
리더쉽	리더십
메세지	메시지
비스켓	비스킷
쥬스	주스
초콜렛	초콜릿
텔레비젼	텔레비전
컨텐츠	콘텐츠

2 '어떤 일이나 현상이 일어날 때나 경우.'를 뜻하는 '시'는 앞말과 띄어 써야 하므로 '비행 시'가 알맞은 띄어쓰기입니다.

143쪽 | 똑똑한 하루 글쓰기 마무리

예 글쓰기 공부를 열심히 하자

◉ 친구들이 꾸준히 글쓰기 공부를 하면 좋겠다는 글쓴이의 생각에 알맞게 글의 제목을 고쳐 써 봅니다.

채점 기준

구분	답안 내용	
평가 기준	글쓴이의 생각이 잘 드러나게 제목을 고쳐 썼습니다.	상
	글쓴이의 생각이 드러나게 제목을 고쳐 썼지만 맞춤법이나 띄어쓰기가 틀린 부분이 있습니다.	중
	글쓴이의 생각이 드러나지 않게 제목을 고쳐 썼습니다.	하

2일

145쪽 똑똑한 **하루 글쓰기** 미리 보기

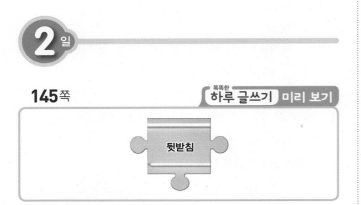

뒷받침

146~147쪽 똑똑한 **하루 글쓰기**

1 편식하지 말고 음식을 골고루 먹읍시다.
2 음식을 골고루 먹어야 우리 몸에 필요한 영양소를 모두 섭취할 수 있습니다.

3

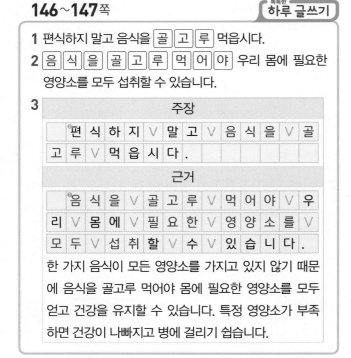

					주장					
편	식	하	지	∨	말	고	∨	음	식	을	∨	골
고	루	∨	먹	읍	시	다	.			

					근거					
음	식	을	∨	골	고	루	∨	먹	어	야	∨	우
리	∨	몸	에	∨	필	요	한	∨	영	양	소	를	∨
모	두	∨	섭	취	할	∨	수	∨	있	습	니	다	.

한 가지 음식이 모든 영양소를 가지고 있지 않기 때문에 음식을 골고루 먹어야 몸에 필요한 영양소를 모두 얻고 건강을 유지할 수 있습니다. 특정 영양소가 부족하면 건강이 나빠지고 병에 걸리기 쉽습니다.

1 달래는 편식하지 말고 음식을 골고루 먹자고 주장하는 글을 쓰고 있습니다.

2 1에서 답한 달래의 주장에 대한 근거를 쓴 문단의 중심 문장으로 알맞도록 문장을 고쳐 써 봅니다.

3 1과 2에서 쓴 문장을 이용해 달래의 주장과, 주장에 대한 근거가 담긴 문단의 내용을 각각 정리해 봅니다.

채점 기준

달래의 주장과, 주장에 대한 근거를 모두 잘 정리해 썼으면 정답으로 합니다.

148쪽 똑똑한 **하루 글쓰기** 고쳐쓰기

1 (1) 대 지 (2) 데 고
2

다	음	∨	주	까	지	∨	주	장	하	는	∨	글
을	∨	한	∨	편	씩	∨	써	∨	오	세	요	.

1 (1) '무엇을 어디에 닿게 하지.'라는 뜻에 알맞은 낱말은 '대지'입니다.
 (2) '불이나 뜨거운 기운으로 말미암아 살이 상하고. 또는 그렇게 하고.'라는 뜻에 알맞은 낱말은 '데고'입니다.

2 책이나 글 등을 세는 단위인 '편'은 앞말 '한'과 띄어 써야 합니다. '그 수량이나 크기로 나뉘거나 되풀이됨.'의 뜻을 더해 주는 낱말인 '씩'은 앞말 '편'과 붙여 씁니다.

149쪽 똑똑한 **하루 글쓰기** 마무리

❶ ㉡
❷ 예

둘	째	,	일	회	용	∨	플	라	스	틱	∨	빨
대	는	∨	땅	에	∨	묻	어	도	∨	잘	∨	썩	지
않	습	니	다	.								

◉ 문장 ㉡의 뒤에 오는 뒷받침 문장들과 어울리도록 중심 문장 ㉡을 고쳐 써 봅니다.

채점 기준

구분	답안 내용	
평가 기준	중심 문장 ⓒ을 알맞게 고르고, 뒷받침 문장들에 어울리게 중심 문장 ⓒ을 잘 고쳐 썼습니다.	상
	중심 문장 ⓒ을 알맞게 고르고, 뒷받침 문장들에 어울리게 중심 문장 ⓒ을 고쳐 썼지만 맞춤법이나 띄어쓰기가 틀린 부분이 있습니다.	중
	중심 문장 ⓒ을 알맞게 골랐지만, 고쳐 쓴 중심 문장 ⓒ이 뒷받침 문장들에 어울리지 않습니다.	하

3일

151쪽　　　**똑똑한 하루 글쓰기** 미리 보기

- 호 응 ,　　 - 뜻 ,

- 어 울 리 는

152~153쪽　　　**똑똑한 하루 글쓰기**

1 아빠와 엄마께서 음식을 정말 맛있게 드 셔 서 내 기분도 좋았다.

2 비록 처음 먹 어 보 는 음 식 이 었 지 만 모두 내 입맛에도 꼭 맞았다.

3

아	빠	와	∨	엄	마	께	서	∨	음	식	을	∨
정	말	∨	맛	있	게	∨	드	셔	서	∨	내	∨	기
분	도	∨	좋	았	다	.	비	록	∨	처	음	∨	먹
어	∨	보	는	∨	음	식	이	었	지	만	∨	모	두∨
내	∨	입	맛	에	도	∨	꼭	∨	맞	았	다	.	

1 아빠와 엄마는 높임의 대상이므로 '먹어서'를 '드셔서'로 고쳐 높임 표현을 사용해야 호응에 알맞은 문장이 됩니다.

2 '비록'은 '~ㄹ지라도', '~지만' 등의 말과 호응하는 말입니다.

3 **1**과 **2**에서 쓴 문장을 이용해 일기의 마지막 부분을 문장의 호응에 맞게 고쳐 써 봅니다.

채점 기준

문장의 호응에 맞게 두 문장을 모두 고쳐 썼으면 정답으로 합니다.

154쪽　　　**똑똑한 하루 글쓰기** 고쳐쓰기

1 가족들과 집 근 방에 새로 생긴 식 당에 갔다.

2

	부	모	님	께	∨	여	쭈	어	보	았	더	니	∨
여	러	∨	가	지	∨	요	리	를	∨	골	고	루	∨
시	켜	∨	주	셨	다	.							

1 '근처'와 '근방'은 모두 '가까운 곳.'을 뜻하는 낱말이고, '음식점'과 '식당'은 모두 '음식을 파는 가게.'를 뜻하는 낱말입니다.

　[더 알아보기]

　'식당'은 '음식을 파는 가게.'의 뜻 외에도 '건물 안에 식사를 할 수 있게 시설을 갖춘 장소.'라는 뜻으로도 사용될 수 있습니다.

　예 아버지께서 다니시는 회사에는 직원 식당이 있다.

2 부모님은 높임의 대상이므로 '물어보았더니'를 '여쭈어보았더니', '주었다'를 '주셨다'로 고쳐 높임 표현을 사용해야 호응에 알맞은 문장이 됩니다.

155쪽　　　**똑똑한 하루 글쓰기** 마무리

❶ 예

	동	생	이		트	라	이	앵	글
을		친	다	.					

❷ 예

	나	는		햄	버	거	를		별
로		좋	아	하	지		않	는	다 .

　예

	나	는		햄	버	거	를		별
로		안		좋	아	한	다	.	

❶ 동생은 높임의 대상이 아니므로 높임 표현을 사용하지 않습니다. '치신다'를 '친다'로 고쳐야 호응에 알맞은 문장이 됩니다.

❷ '별로'는 '~지 않다', '~지 못하다'와 같은 부정적인 말 또는 '안', '못'이 꾸며 주는 말과 호응하는 말입

니다. '좋아한다'를 '좋아하지 않는다' 또는 '안 좋아한다'로 고쳐야 호응에 알맞은 문장이 됩니다.

구분	답안 내용	
평가 기준	❶과 ❷를 모두 문장의 호응에 맞게 잘 고쳐 썼습니다.	상
	❶과 ❷를 모두 문장의 호응에 맞게 고쳐 썼지만, 맞춤법이나 띄어쓰기가 틀린 부분이 있습니다.	중
	❶과 ❷ 중 한 문장만 문장의 호응에 맞게 고쳐 썼습니다.	하

{ 더 알아보기 }

'–지 않다', '–지 못하다'와 같은 부정적인 말 또는 '안', '못'이 꾸며 주는 말과 호응하는 낱말 더 알아보기 ⓔ

• 결코 ⓔ 나는 결코 거짓말을 하지 않았다.

• 전혀 ⓔ 나는 피아노를 전혀 못 친다.

157쪽 똑똑한 **하루 글쓰기** 미리 보기

158~159쪽 똑똑한 **하루 글쓰기**

1 (1) 날이 굳 어 서 대나무의 잎을 구하러 나갈 수가 없어.

(2) 오늘 낮이 되면 비가 그 치 고 해가 난대.

2

| 날 | 이 | ∨ | 개 | 고 | ∨ | 나 | 면 | ∨ | 바 | 로 | ∨ | 대 |
| 나 | 무 | 의 | ∨ | 잎 | 을 | ∨ | 찾 | 아 | 보 | 자 | . | |

1 (1) '비나 눈이 내려 날씨가 나빠서.'라는 뜻에 알맞은 낱말은 '궂어서'입니다.

(2) '계속되던 일이나 움직임이 멈추거나 끝나고. 또는 그렇게 하고.'라는 뜻에 알맞은 낱말은 '그치고'입니다.

2 '시간적인 간격을 두지 않고 곧.'이라는 뜻의 '바로'로 고쳐 써야 합니다.

{ 왜 틀렸을까? }

• 이미: 다 끝나거나 지난 일을 이를 때 쓰는 말.

• 벌써: 예상보다 빠르게. 또는 이미 오래 전에.

160쪽 똑똑한 **하루 글쓰기** 고쳐쓰기

1 (1) 낯 (2) 낮

2

| 너 | 희 | ∨ | 도 | 대 | 체 | ∨ | 무 | 슨 | ∨ | 얘 | 기 | 를 | ∨ |
| 하 | 는 | ∨ | 거 | 야 | ? | | | | | | | | |

1 (1) '눈, 코, 입 따위가 있는 얼굴의 바닥.'이라는 뜻에 알맞은 낱말은 '낯'입니다.

(2) '해가 뜰 때부터 질 때까지의 동안.'이라는 뜻에 알맞은 낱말은 '낮'입니다.

2 '전혀 알지 못하거나 아주 궁금하여 묻는 것인데.'라는 뜻에 알맞은 낱말은 '도대체'이고, '이야기'를 바르게 줄여 쓴 낱말은 '얘기'입니다.

161쪽 똑똑한 **하루 글쓰기** 마무리

껍	데	기	를	∨	까	는	∨	것	이	∨	귀	찮
았	지	만	∨	맛	있	어	서	∨	많	이	∨	먹	었
다	.	후	식	으	로	∨	나	온	∨	귤	은	∨	껍
질	이	∨	얇	고	∨	달	콤	해	∨	맛	있	었	다	.

◑ 일기를 읽고, 어색한 낱말을 뜻에 어울리는 자연스러운 낱말로 고쳐 써 봅니다.

구분	답안 내용	
평가 기준	'껍데기'와 '껍질'을 모두 뜻에 맞게 잘 고쳐 썼습니다.	상
	'껍데기'와 '껍질' 중 한 낱말만 뜻에 맞게 고쳐 썼습니다.	중
	두 낱말 모두 바르게 고쳐 쓰지 못하였습니다.	하

5일

163쪽 · 똑똑한 하루 글쓰기 미리 보기

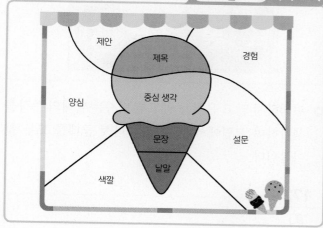

164~165쪽 · 똑똑한 하루 글쓰기

1 (1) 거문고와 가야금은 대표적인 **우리나라의** 전통 현악기예요.

(2) 거문고와 가야금은 **얼핏** 보면 생김새가 비슷하지만 다른 점도 많답니다.

2 (1) 거문고와 가야금은 주로 습기에 강하고 **단단하면 서도 소리가 좋은** 오동나무로 만들어요.

(2) 또한 **줄이 있는 현악기라는** 점도 비슷하지요.

3 하지만 거문고는 줄이 6개, 가야금은 줄이 12개예요. 그리고 거문고는 술대라는 대나무 막대기로 줄을 치면서 연주를 하지만 가야금은 손가락으로 직접 퉁겨서 연주를 하지요.

1 (1) ⌒ 는 붙여 쓸 때 사용하는 교정 부호이므로 두 낱말을 '우리나라의'라는 한 낱말로 고쳐 써야 합니다.

(2) ∨ 는 글의 내용을 추가할 때 사용하는 교정 부호이므로 '얼핏'을 추가해 고쳐 써야 합니다.

2 (1) ✓ 는 글자를 뺄 때, ＼＿＿ 는 여러 글자를 고칠 때 사용하는 교정 부호이므로 '딱딱'을 빼고, '조아'를 '좋은'으로 바꾸어 문장을 고쳐 써야 합니다.

(2) ⌒ 은 한 글자를 고칠 때, ＼＿＿ 는 여러 글자를 고칠 때 사용하는 교정 부호이므로 '선'을 '줄'로, '목관 악기'를 '현악기'로 바꾸어 문장을 고쳐 써야 합니다.

3 ∨ 는 글의 내용을 추가할 때, ∨는 띄어 쓸 때, ⌒ 은 한 글자를 고칠 때 사용하는 교정 부호이므로 '하지만'을 추가하고 '대나무막대기'를 '대나무 막대기'로 띄어 쓰고, '팅'을 '튕'으로 바꾸어 글을 고쳐 써야 합니다.

> **채점 기준**
>
> 세 군데를 모두 바르게 고쳐 썼으면 정답으로 합니다.

166쪽 · 똑똑한 하루 글쓰기 고쳐쓰기

1 거문고는 [현]이 6개, 가야금은 [현]이 12개예요.

2 | 목 | 관 | ∨ | 악 | 기 | 는 | ∨ | 나 | 무 | 로 | ∨ | 만 | 들 |
| 지 | 만 | ∨ | 금 | 관 | ∨ | 악 | 기 | 는 | ∨ | 쇠 | 붙 | 이 | 로 | ∨ |
| 만 | 들 | 어 | 요 | . |

1 '줄'은 '악기에서 소리를 내는 가늘고 긴 물건.'을 뜻하는 '현'을 일상적으로 이르는 말입니다.

2 '만들어요.'와 '하지만'을 '만들지만'으로 고쳐 두 문장을 한 문장으로 이어 줄 수 있습니다.

> **─〔 더 알아보기 〕─**
>
> **연주 방법에 따른 악기의 분류 알아보기** 예
>
> • **현악기**: 줄을 켜거나 타서 소리를 내는 악기.
>   예 가야금, 거문고, 바이올린, 첼로
> • **타악기**: 두드려서 소리를 내는 악기.
>   예 팀파니, 북, 심벌즈
> • **관악기**: 입으로 불어서 소리를 내는 악기.
>   예 플루트, 클라리넷, 트럼펫

167쪽 · 똑똑한 하루 글쓰기 마무리

도윤이에게

안녕, 도윤아. 나 규민이야. 네가 병원에 [입][원][했][다][는] 이야기를 듣고 편지를 써.

네가 많이 [아][프][다][는] 이야기를 듣고 내가 얼마나 걱정했는지 몰라. 얼른 [나][아][서] 여름이 오기 전에 학교로 돌아오기를 우리 반 친구들 모두 바라고 있어.

[건][강][한] [모][습][으][로] 곧 [학][교][에][서] 만나자!

20○○년 5월 20일
너의 친구 규민이가

○ 교정 부호에 맞게 편지를 고쳐 써 봅니다.

채점 기준

구분	답안 내용	
평가 기준	각 교정 부호가 사용된 부분을 모두 잘 고쳐 썼습니다.	상
	교정 부호가 사용된 부분 중 한두 군데를 잘 못 고쳐 썼습니다.	중
	교정 부호가 사용된 부분 중 세 군데 이상을 잘못 고쳐 썼습니다.	하

특강 똑똑한 하루 창의·융합·코딩

169쪽

"달 면 삼 키 고 쓰 면 뱉 는 다"더니 청소 는 도와주지 않고 사탕만 달라는 성규가 얄미웠다.

170쪽

○ '어떤 모임이나 일에 같이 참가함.'이라는 뜻의 낱말 은 '동참', '어떤 특정한 음식만을 가려서 즐겨 먹음.' 이라는 뜻의 낱말은 '편식', '아무리 그러하더라도.' 라는 뜻의 낱말은 '비록'입니다.

171쪽

○ 편식하지 말고 음식을 골고루 먹자는 달래의 주장을 생각하며 그림에서 다른 부분 다섯 군데를 모두 찾 아봅니다.

172쪽

 (2) 피자

○ 밀가루 반죽 위에 토마토 소스, 치즈, 버섯 등을 얹 어 구워 만든 이탈리아 음식의 이름은 '피자'입니다.

〔 왜 틀렸을까? 〕
(1) **쌀국수**: 베트남의 전통 음식으로 쌀을 이용하여 국수 를 만든 음식.
(3) **초밥**: 흰밥, 식초, 소금, 고추냉이, 생선 쪽 등으로 만든 일본의 음식.

172쪽

 (2) ○

○ 교정 부호 ⤴, ∨, ⌢, Y를 모두 차례대로 지나가 기 위해서는, '↓ 방향으로 1칸 움직이기, → 방향으 로 1칸 움직이기'를 세 번 반복해야 합니다. 코딩 명 령에 따라 이동하면 다음과 같습니다.

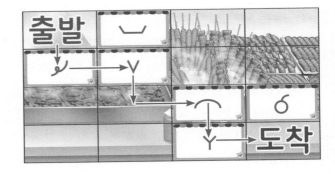

평가 — 누구나 100점 테스트

174~175쪽

1 밤톨　　　　　　2 (1) ○

3 달래

4 | 어 | 제 | ∨ | 가 | 족 | 사 | 진 |
|---|---|---|---|---|---|---|
| 을 | ∨ | 찍 | 었 | 다 | . | |

5 (2) ×　　　　　6 (1) ①　(2) ②

7 어색한 낱말 을 뜻에 어울리는 자연스러운 낱말로 고쳐 썼다.

8 | 네 | 가 | ∨ | 많 | 이 | ∨ | 아 |
|---|---|---|---|---|---|---|
| 프 | 다 | 는 | ∨ | 이 | 야 | 기 | 를 | ∨ |
| 듣 | 고 | ∨ | 내 | 가 | ∨ | 얼 | 마 |
| 나 | ∨ | 걱 | 정 | 했 | 는 | 지 | ∨ |
| 몰 | 라 | . | | | | |

9 얼른 나 아 서 여름이 오기 전에 학교로 돌아오기를 우리 반 친구들 모두 바라고 있어.

10 (1) ×

---

1 고쳐쓰기는 글을 쓰고 나서 내용과 표현이 알맞도록 다시 쓰는 것입니다.

〔 더 알아보기 〕
고쳐쓰기를 할 때에는 글 전체부터 작은 부분의 순서로 고쳐 씁니다. 글 전체를 다시 살펴본 후 문단, 문장, 낱말의 순서로 고쳐 씁니다.

2 글쓴이의 생각을 잘 나타내는 제목은 (1)입니다.

3 뒷받침 문장들을 대표하는 내용이 되도록 중심 문장을 쓴 친구는 달래입니다.

4 '어제'라는 과거의 시간을 나타내는 말과 호응을 이루는 낱말은 '찍었다'입니다.

〔 왜 틀렸을까? 〕
'찍는다'는 현재의 시간을 나타내는 말과 호응을 이루는 낱말입니다.

5 '별로'는 주로 '~지 않다' 등의 부정을 나타내는 말과 호응하는 말입니다. (2)를 '나는 햄버거를 별로 안

좋아한다.' 또는 '나는 햄버거를 별로 좋아하지 않는다.'로 고쳐 써야 알맞은 문장이 됩니다.

6 '비나 눈이 내려 날씨가 나쁘다.'라는 뜻인 '궂다'가 사용된 문장에 어울리는 그림은 ①이고, '무른 물질이 단단하게 되다.'라는 뜻인 '굳다'가 사용된 문장에 어울리는 그림은 ②입니다.

〔 더 알아보기 〕
'궂다'와 '굳다'는 모두 [굳따]로 소리 나는 낱말입니다.

7 '중단하고'는 '어떤 일을 중간에 멈추거나 그만 두고.'라는 뜻입니다. '중단하고'를 '계속되던 일, 움직임, 현상 등이 계속되지 않고 멈추고.'라는 뜻의 '그치고'로 바꾸어 어색한 낱말을 뜻에 어울리는 자연스러운 낱말로 고쳐 썼습니다.

8 ＼는 여러 글자를 고칠 때 사용하는 교정 부호입니다. '편찮으시다는'을 '아프다는'으로 고쳐 문장을 완성하고 따라 써 봅니다.

9 ◯는 한 글자를 고칠 때 사용하는 교정 부호입니다. '낳'을 '나'로 고쳐 '낳아서'를 '나아서'로 고쳐 써 봅니다.

10 고쳐쓰기를 하면 자신의 생각을 더 잘 전달할 수 있고, 읽는 사람이 글을 더 쉽게 이해할 수 있어서 좋습니다.

다음 권에서
다시 만나요~!

편지 쓰기

기억에 남는 일을 일기로 남겨 봐요.

즐겁고 행복했던 일

날짜: 날씨:

제목:

슬프고 속상했던 일

날짜: 날씨:

제목:

친절한 말은 아주 짧기 때문에
말하기가 쉽다.

하지만 그 말의 메아리는 무궁무진하게
울려 퍼지는 법이다.

Kind words can be short and easy to speak,
but their echoes are truly endless.

테레사 수녀

친절한 말, 따뜻한 말 한마디는 누군가에게 커다란 힘이 될 수도 있어요.
나쁜 말 대신 좋은 말을 하게 되면 언젠가 나에게 보답으로 돌아온답니다.
앞으로 나쁘고 거친 말 대신 좋고 예쁜 말만 쓰기로 우리 약속해요!

정답은
이안에
있어！

기초 학습능력 강화 프로그램
매일 조금씩 공부력 UP!

| 하루 독해 | 하루 어휘 | 하루 글쓰기 | 하루 VOCA |

| 하루 수학 | 하루 계산 | 하루 도형 | 하루 사고력 |

과목	교재 구성	과목	교재 구성
하루 수학	1~6학년 1·2학기 12권	하루 사고력	1~6학년 A·B단계 12권
하루 VOCA	3~6학년 A·B단계 8권	하루 글쓰기	예비초~6학년 A·B단계 12권
하루 사회	3~6학년 1·2학기 8권	하루 한자	1~6학년 A·B단계 12권
하루 과학	3~6학년 1·2학기 8권	하루 어휘	예비초~6학년 1~6단계 6권
하루 도형	1~6단계 6권	하루 독해	예비초~6학년 A·B단계 12권
하루 계산	1~6학년 A·B단계 12권		

※ 각 교재별 출간 시기는 조금씩 다릅니다.

배움으로 행복한 내일을 꿈꾸는
천재교육 커뮤니티 안내 . . .

교재 안내부터 구매까지 한 번에!
천재교육 홈페이지

천재교육 홈페이지에서는 자사가 발행하는 참고서,
교과서에 대한 소개는 물론 도서 구매도 할 수 있습니다.
회원에게 지급되는 별을 모아 다양한 상품 응모에도
도전해 보세요.

구독, 좋아요는 필수! 핵유용 정보 가득한
천재교육 유튜브 <천재TV>

신간에 대한 자세한 정보가 궁금하세요?
참고서를 어떻게 활용해야 할지 고민인가요?
공부 외 다양한 고민을 해결해 줄 채널이 필요한가요?
학생들에게 꼭 필요한 콘텐츠로 가득한 천재TV로 놀러 오세요!

다양한 교육 꿀팁에 깜짝 이벤트는 덤!
천재교육 인스타그램

천재교육의 새롭고 중요한 소식을 가장 먼저 접하고 싶다면?
천재교육 인스타그램 팔로우가 필수!
누구보다 빠르고 재미있게 천재교육의 소식을 전달합니다.
깜짝 이벤트도 수시로 진행되니 놓치지 마세요!